"Vivemos dias de mua ser homem. A perda de referencial de uma verdadeira masculinidade deixou toda uma sociedade perdida. A confusão, por incrível que pareça, criou uma oportunidade para o ressurgimento da verdade sobre o que é ser homem. Longe de estereótipos culturais e temporais, Rick Phillips constrói um sólido fundamento bíblico da masculinidade projetada por Deus e coloca em nossas mãos um rico material para orientar gerações sobre o significado real de ser homem. Acredito que este livro irá contribuir para o surgimento de homens dispostos a conduzir, proteger e cuidar, e que estão prontos para impactar uma cultura desorientada."

Alexandre "Sacha" Mendes
pastor da Igreja Batista Maranata, em São José dos Campos

"Pensamentos igualitários e chauvinistas corromperam nossas ideias sobre masculinidade piedosa. Com ousadia de coração e sabedoria pastoral, Rick Phillips nos reconduz ao caminho da masculinidade bíblica: masculinidade fundada no mandato cultural, na cruz e nos meios comuns da graça. Que os homens da igreja possam responder ao chamado desse mandato para se colocar de pé e ser contados, vivendo corajosamente sua fé, na condição de trabalhadores, protetores, provedores e líderes para Cristo."

Eric C. Redmond
Professor Assistente de Bíblia no Moody Bible Institute, Chicago
Autor de *Where Are All the Brothers? Straight Answers to Men's Questions about the Church*

"Confrontando a confusão generalizada em nossa cultura, Rick Phillips expõe o mandato bíblico para o homem trabalhar e cuidar do mundo ao redor. Este livro evita, com muito cuidado, estereótipos e regras legalistas, ao passo que desenvolve, com clareza e simplicidade prática, a visão bíblica do homem como indivíduo e nos relacionamentos com outros homens, com sua esposa e filhos e com a igreja de Jesus Cristo. Aprendi muito com este livro, e não vejo a hora de compartilhá-lo com meus filhos."

Iain M. Duguid
Professor de Antigo Testamento
Westminster Theological Seminary, Filadélfia

Homens de Verdade

O chamado de Deus para masculinidade

Richard D. Phillips

Prefácio de Jerry Bridges

FIEL Editora

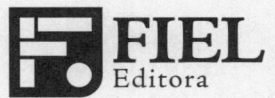

P562h   Phillips, Richard D. (Richard Davis), 1960-
    Homens de verdade : o chamado de Deus para masculinidade / Richard D. Phillips ; prefácio de Jerry Bridges ; [tradução: João Paulo Aragão da Guia Oliveira]. – São José dos Campos, SP: Fiel, 2019.

    Inclui referências bibliográficas.
    ISBN 9788581326252 (impresso)
          9788581326269 (e-book)
          9788581326276 (áudio livro)

    1. Homens (Teologia cristã). 2. Homens cristãos – Vida religiosa. 3. Homens cristãos – Conduta. I. Título.

                                          CDD: 270.081

Catalogação na publicação: Mariana C. de Melo Pedrosa – CRB07/6477

Homens de Verdade:
O chamado de Deus para masculinidade
Traduzido do original em inglês
The Masculine Mandate: God's Calling to Men
por Richard D. Phillips
Copyright © 2010 por Richard D. Phillips

∎

Originalmente publicado em inglês por Reformation Trust Publishing, uma divisão de Ligonier Ministries
421 Ligonier Court, Sanford, FL 32771

Copyright © 2019 Editora Fiel
Primeira edição em português: 2019

Os textos das referências bíblicas foram extraídos da versão Almeida Revista e Atualizada, 2ª ed. (Sociedade Bíblica do Brasil), salvo indicação específica.

Todos os direitos em língua portuguesa reservado por Editora Fiel da Missão Evangélica Literária
PROIBIDA A REPRODUÇÃO DESTE LIVRO POR QUAISQUER MEIOS SEM A PERMISSÃO ESCRITA DOS EDITORES, SALVO EM BREVES CITAÇÕES, COM INDICAÇÃO DA FONTE.

∎

Diretor: Tiago J. Santos Filho
Editor-chefe: Vinicius Musselman Pimentel
Editor: Vinicius Musselman Pimentel
Coordenação Editorial: Gisele Lemes
Tradução: João Paulo Aragão da Guia Oliveira
Revisão: Shirley Lima – Papiro Soluções Textuais
Diagramação: Rubner Durais
Capa: Rubner Durais
E-book: Rubner Durais

ISBN impresso: 978-85-8132-625-2
ISBN e-book: 978-85-8132-626-9
ISBN audiolivro: 978-85-8132-627-6

Caixa Postal 1601
CEP: 12230-971
São José dos Campos, SP
PABX: (12) 3919-9999
www.editorafiel.com.br

Para Sharon,
minha maior auxiliadora neste mundo,
e para nossos filhos, Matthew e Jonathan

Sumário

Prefácio 9
Introdução 13

Parte um: Entendendo nosso mandato

1. O homem no jardim 19
2. O mandato masculino 31
3. A vocação sagrada do homem para o trabalho 39
4. O homem como a imagem de Deus 59
5. O homem como senhor-pastor 77

Parte dois: Vivendo nosso mandato

6. O projeto maravilhoso de Deus para o casamento 93
7. Casamento amaldiçoado e redimido 109
8. O casamento e o mandato masculino 125
9. Cultivar: o discipulado dos filhos 143
10. Guardar: a disciplina dos filhos 163
11. A amizade masculina 181
12. O mandato masculino na igreja 193
13. Servos do Senhor 211

Prefácio

Qual imagem vem à sua mente quando você ouve a expressão "homem com H maiúsculo"? É a imagem de um homem aventureiro, habilidoso na caça e na pesca? Seria a ideia de um homem capaz de construir a própria casa? Ou algo mais na linha de um cara durão, ao estilo de John Wayne?

Certamente não há nada de errado em ser um homem aventureiro, que edifica a própria casa ou mesmo, dentro dos limites, ser do tipo John Wayne. Mas isso é tudo que significa ser homem? A verdade é que a Bíblia nos oferece a imagem de Deus para um homem de verdade —e essa imagem não se encaixa em nenhum de nossos estereótipos.

Deus começa a pintar sua imagem de masculinidade em Gênesis 1, passagem em que lemos sobre a criação do homem à imagem de Deus. Ele continua a trabalhar em seu retrato em Gênesis 2, que nos diz que Deus plantou um jardim no Éden e colocou o homem ali para cultivá-lo e guardá-lo.

Não é interessante observar que a primeira coisa que Deus diz sobre o papel do homem é que ele deve trabalhar? De fato, a necessidade e o valor do trabalho são presumidos em toda a Bíblia, além de explicitamente declarados em várias passagens das Escrituras. Por exemplo, o escritor de Eclesiastes disse: "Eis o que eu vi: boa e bela coisa é comer e beber e gozar cada um do bem de todo o seu trabalho, com que se afadigou debaixo do sol, durante os poucos dias da vida que Deus lhe deu; porque esta é a sua porção" (Ec 5.18). No Novo Testamento, Paulo nos exorta: "tudo quanto fizerdes, fazei-o de todo o coração, como para o Senhor e não para homens" (Cl 3.23) e adverte que, "se alguém não quer trabalhar, também não coma" (2Ts 3.10). Além disso, trabalharemos na nova terra.

Considero essa ênfase bíblica no trabalho bastante encorajadora. Poucos de nós, homens, se encaixam em qualquer um dos estereótipos do "homem com H maiúsculo". Mas todos nós podemos cumprir o mandato de Deus para o trabalho. Nesse sentido, podemos ver a nós mesmos na imagem divina de um homem de verdade.

Mas essa imagem vai além do trabalho. Quando Deus colocou Adão no jardim para trabalhar, deu-lhe Eva como auxiliadora (Gn 2.18, 21-23). Então, o homem foi feito para trabalhar e, de maneira geral, para se casar. É claro que sempre haverá exceções ordenadas por Deus, mas o plano normal de Deus é que os homens tomem esposas e sejam fecundos, multipliquem-se e encham a terra (Gn 1.28). Portanto, o homem trabalhador humilde, aquele que labuta fielmente em seu ofício, nutrindo e pastoreando sua esposa, bem como buscando criar seus filhos na disciplina e instrução do Senhor, conforma-se à figura divina de um homem de verdade. Ele pode até ser um caçador e um pescador, ser capaz de construir a própria casa ou mesmo ser um herói ao estilo John Wayne. Mas essas habilidades e marcas de caráter são, na melhor das hipóteses, secundárias aos papéis básicos de trabalhador diligente e de marido e pai fiel e atencioso.

Neste excelente livro, Rick Phillips aborda esses assuntos e muitos outros de uma forma verdadeiramente bíblica.

Tudo o que ele diz se baseia solidamente nas Escrituras, portanto ele nos dá uma imagem precisa do que significa ser um homem de Deus. O leitor sairá dele seguro de que, ainda que não possua nenhum dos atributos que o mundo considera essenciais para um "homem com H maiúsculo", pode ser um dos homens de Deus.

Este não é um livro divertido, mas é um livro valioso. Todo homem cristão que o ler com atenção e buscar aplicá-lo à sua própria vida se beneficiará imensamente. Alguns verão que suas vidas já estão em conformidade geral com os princípios bíblicos que Rick apresenta e, assim, serão encorajados a continuar vivendo como o fazem agora. Outros verão atitudes e ações em suas vidas que ficam aquém do padrão bíblico para o homem, e serão instruídos e motivados a buscar mudanças onde se mostrarem apropriadas.

Pela graça de Deus, este livro ajudará os homens a ouvir estas palavras abençoadas no fim de suas vidas: "Muito bem, servo bom e fiel; foste fiel no pouco, sobre o muito te colocarei; entra no gozo do teu senhor" (Mt 25.23).

Jerry Bridges
Colorado Springs

Introdução

Para mim, é notável constatar quão facilmente as coisas preciosas podem ser perdidas. Um indivíduo pode perder rapidamente bens preciosos, como inocência, integridade ou boa reputação. A igreja também pode perdê-los — e isso parece estar acontecendo hoje. Um ideal que podemos estar perdendo é o de uma masculinidade cristã forte, bíblica e confiante. Não faz muito tempo, diziam-nos para entrar em contato com nosso "lado feminino" (como direi novamente mais adiante, o meu se chama Sharon), e esse tipo de tolice cultural resultou em muitos homens compreendendo mal o que significa ser um homem piedoso, um marido amoroso, um bom pai e um amigo fiel.

Este livro foi escrito para homens cristãos que não apenas não querem perder esse precioso entendimento bíblico, como também querem viver o chamado para a verdadeira masculinidade que Deus nos deu. Precisamos ser homens piedosos, e a Bíblia apresenta um mandato masculino para que possamos seguir e cumprir. Mas nós sabemos o que é isso? Ao escrever este livro, meu objetivo é ajudar os homens a conhecer e cumprir o chamado do Senhor, conforme nos é apresentado tão claramente na Palavra de Deus.

Mais uma vez, tenho poucas dúvidas de que o problema atual com a verdadeira masculinidade surge, em grande parte, de um problema mais amplo na cultura secular. Tantos homens jovens crescem hoje sem um pai (ou com um pai que está inadequadamente conectado com seus filhos) que não causa admiração haver confusão sobre a masculinidade. A mídia secular nos bombardeia com imagens e modelos de feminilidade e masculinidade que são simplesmente falsos. Enquanto isso, em cada vez mais igrejas evangélicas, a presença de homens fortes e piedosos parece ter diminuído diante de uma espiritualidade feminizada. Na afluência de nossa sociedade ocidental pós-moderna, os homens, em geral, não se engajam mais no tipo de luta por sobrevivência que costumava transformar os meninos em homens. Porém, nossas famílias e igrejas precisam de homens cristãos fortes e masculinos tanto quanto sempre precisaram — e até mais. Então, como podemos reviver ou recuperar nossa masculinidade ameaçada? O lugar para começar, como sempre, é na Palavra de Deus, com sua forte visão e seu claro ensinamento sobre o que significa não apenas ser homem, mas também ser um homem de Deus.

O propósito deste livro é fornecer ensinamentos diretos, claros e precisos sobre o que a Bíblia diz aos homens na qualidade de homens. Eu não escrevo estas palavras para menosprezar o cara de hoje — felizmente, ainda não sou velho nem mal-humorado o suficiente para isso! —, mas como um irmão em Cristo que crê na Bíblia e teve motivos (pessoais e pastorais) para buscar na Palavra de Deus orientação sobre masculinidade. E essa é uma jornada em que tenho estado por um bom tempo. Para mim, o que significa ser o homem cristão que quero ser, que minha família precisa que eu seja e que Deus me fez e me redimiu em Cristo para ser? Para mim, a jornada envolveu um misto de renovação e arrependimento. Na verdade, coisas que eu pensei que fossem masculinas não são, e coisas que Deus me chamou para fazer precisaram ser feitas. O resultado, contudo, tem sido clareza e vocação — e que bênçãos elas são!

Minha esperança e oração é que outros homens e igrejas possam ser ajudados por esse *tour* pelo ensinamento da Bíblia sobre masculinidade, pois o mandato masculino ao qual Deus nos chama destina-se a dar grandes frutos para sua glória neste mundo caído. Se não buscarmos a verdade nesse assunto em Deus, então algo não apenas precioso, como também essencial, será perdido em nossas igrejas: modelos bíblicos de masculinidade piedosa para nossos meninos e para homens convertidos seguirem, e a liderança masculina que Deus ordenou como intrínseca à força e à saúde de sua igreja.

Quero expressar meus agradecimentos ao Conselho e à congregação da Second Presbyterian Church em Greenville, Carolina do Sul, por seu apoio dedicado ao meu ministério da Palavra de Deus. Que alegria é pregar as Escrituras a uma família cristã tão ávida! Agradeço também aos muitos amigos do Ligonier Ministries e da Reformation Trust, que foram meus parceiros em todos os aspectos deste livro — especialmente meus editores, Greg Bailey e Kevin Meath, que fizeram contribuições incríveis. Finalmente, agradeço à minha fiel e amorosa esposa, Sharon, por seu modelo de feminilidade piedosa e pelo apoio amoroso que tão livremente me dá, junto com nossos cinco filhos, que suportam alegremente numerosos sacrifícios para que seus pais sirvam ao Senhor. A ele seja a glória.

Parte um

Entendendo Nosso Mandato

Capítulo 1
O homem no jardim

Acho que não é má ideia começar este livro sobre masculinidade lembrando algo que li em uma revista de esportes em uma barbearia. Não era um cabeleireiro — era uma barbearia! O artigo era sobre os novos esportes não convencionais, concentrando-se especialmente no motocross estilo livre chamado MotoX. Esse é o tipo de esporte em que as pessoas saltam com motocicletas sobre edifícios ou seguram pelo guidom enquanto saltam de suas bicicletas fazendo acrobacias a 15 metros de altura. A figura principal nesse esporte é Brian Deegan, que, recentemente, se tornou cristão.

Em 1997, Deegan formou a equipe de motocross *freestyle* chamada "Metal Mulisha". Nos oito anos seguintes, Deegan e seus amigos venceram inúmeras corridas e competições de salto, enquanto, ao mesmo tempo, estabeleciam sua reputação de desordem, destruição e violência. Seu estilo de vida era caracterizado por tatuagens e simbolismos nazistas, concentrando-se principalmente em motocicletas, álcool, drogas, sexo e brigas.

Três coisas aconteceram a Deegan que o levaram a uma mudança radical. A primeira foi que sua namorada ficou grávida, e insistiu em ter o filho. A segunda foi uma tentativa fracassada de um *backflip* no ar nos X-Games de 2006, que quase acabou com sua vida, levando-o a meses de reabilitação física. A terceira foi sua concordância em frequentar a igreja com a namorada. Para sua surpresa, ele não odiou fazer isso e, em pouco tempo, chegou à fé salvadora em Jesus. Como resultado, ele se casou com sua namorada e parou de beber álcool e usar drogas; além disso, ele convidou seus colegas da "Metal Mulisha" para estudar a Bíblia com ele. E, um a um, muitos nasceram de novo pela fé em Jesus. "Ele ficava nos dizendo quanto a Bíblia mudou sua vida", lembra um deles. "Eu senti que tinha de ouvir." Deegan, outrora o epítome do rebelde irado e boca-suja, agora se assenta com uma Bíblia aberta no colo e diz aos jornalistas esportivos que quer que sua filha consiga vê-lo como um exemplo de pai cristão.[1]

Tenho acompanhado Deegan de tempos em tempos desde que li esse artigo. Se você conferir esse jovem cristão, perceberá que ele ainda tem muito a crescer em piedade, porém o mais importante é que ele sabe disso. Quando perguntado em uma entrevista sobre as mudanças óbvias em seu estilo de vida, Deegan respondeu com as seguintes palavras imortais: "Eu tive filhos e tenho que ser um modelo para eles... Eu tinha que crescer, tinha que ser homem, tinha que ser pai, e então foi isso que eu fiz, cara".[2] Meu palpite é que, à medida que Deegan vai crescendo como cristão, cada vez aprenderá mais que ainda não "fez isso, cara". Ainda há muitos aspectos nos quais todos os homens cristãos precisam crescer. Mas aqui está a pergunta que vem à minha mente: quando alguém como Brian Deegan percebe que Deus o está chamando para ser um homem, onde um cara como ele consegue descobrir como fazer isso?

---

1 Citado em Chris Palmer, "Reinventing the Wheel", in: *ESPN The Magazine* 11.15 (28/7/2008), 52-58.
2 Acesso on-line em: http://etnies.com/blog/2008/12/19/real-deal-deegan/.

Quando se trata de praticamente todas as perguntas sobre as intenções de Deus para homens e mulheres, a resposta quase sempre é a mesma: voltar para o jardim. Quando indagaram a Jesus sobre casamento (Mt 19.4–6), ele respondeu a partir de Gênesis 2. De forma semelhante, quando Paulo estava discutindo o papel das mulheres em relação aos homens (1Tm 2.11-14), encontrou suas respostas em Gênesis 2. O Novo Testamento vê as questões de gênero e de relacionamento entre homens e mulheres respondidas nos capítulos iniciais da Bíblia: o ensino básico sobre a Criação em Gênesis 1 e o registro do tratamento específico de Deus em relação ao primeiro homem e à primeira mulher em Gênesis 2. É aí que devemos procurar o ensinamento mais básico da Bíblia sobre masculinidade.

Masculinidade: quem, onde, como e o quê

Assim como nunca entenderemos as regras de Deus para o casamento e seu chamado para esposos e esposas sem o entendimento de Gênesis 2, também nunca entenderemos o que significa ser homem — solteiro ou casado — sem estudar este capítulo de importância vital. Gênesis 2 nos diz quatro coisas essenciais sobre o homem: *quem ele é, onde está, o que é* e *como* deve cumprir sua vocação. Obviamente, isso é algo muito importante, essencial para uma compreensão correta de nosso chamado como homens.

Quem somos: criaturas espirituais

Gênesis 2.7 fala de como Deus formou o homem de maneira especial: "Então, formou o SENHOR Deus ao homem do pó da terra e lhe soprou nas narinas o fôlego de vida, e o homem passou a ser alma vivente". Essa criação do homem é única de duas maneiras.

Primeiro, Deus não fez nenhuma outra criatura com esse cuidado manual. Para criar os animais, Deus simplesmente falou, e sua declaração foi suficiente. Mas Deus formou o homem do pó, moldando-nos com cuidado paternal.

Segundo, Deus soprou no homem seu próprio sopro — o sopro da vida eterna. Retornarei à identidade do homem na criação no capítulo 4, mas, por ora, devemos perceber que isso significa que Deus fez o homem para ser diferente. Não somos apenas mais um tipo de criatura entre muitas. Homens e mulheres são criaturas espirituais. Antes, a Bíblia diz que Deus fez o homem "à sua imagem" (Gn 1.27). Tanto em nossos corpos mortais como em nossos espíritos imortais (aquele sopro de vida de Deus), fomos *capacitados* a conhecer a Deus e *chamados* a carregar sua imagem no mundo criado.

Deus nos deu uma natureza espiritual para que pudéssemos carregar sua imagem como seus adoradores e servos. Isso é quem somos como homens.

Onde Deus nos colocou: aliança **versus** *a falácia de* **Coração selvagem**

O próximo versículo, Gênesis 2.8, nos dá informações importantes que são facilmente ignoradas. Depois de Deus ter feito esse homem como algo único — uma criatura espiritual —, onde, no grande globo terrestre, o colocou? Afinal, havia apenas um Adão, que só poderia estar em um lugar, e, durante todo o processo de criação, Deus estava claramente sendo bastante intencional em todas as suas ações. Certamente, o posicionamento do homem seria igualmente intencional. A resposta é: "E plantou o Senhor Deus um jardim no Éden, na direção do Oriente, e pôs nele o homem que havia formado".

O jardim do Éden é descrito na Bíblia como um pequeno canto do mundo originalmente criado que Deus tornou rico e belo. Adão foi colocado no jardim, juntamente com Eva, com o seguinte mandamento: "Sede fecundos, multiplicai-vos, enchei a terra e sujeitai-a; dominai sobre os peixes do mar, sobre as aves dos céus e sobre todo animal que rasteja pela terra" (Gn 1.28).

O que devemos pensar sobre esse jardim? O jardim é o lugar no qual Deus se relaciona de maneira pactual com sua criatura humana, e onde Deus leva o homem a relacionamentos e obrigações pactuais. Em termos da história bíblica do homem, o jardim era originalmente o lugar no qual toda a ação acontecia. Adão deveria inserir-se na obra de criação de Deus, a começar pelo jardim, que ele deveria cultivar e trabalhar, a fim de que a glória de Deus crescesse e se espalhasse, e para que o conhecimento de Deus se estendesse por todo o cosmos. O *onde* do homem, pelo menos antes da queda de Adão no pecado (Gn 3), é o jardim: o reino feito por Deus de relacionamentos e deveres pactuais para a glória do Senhor.

Neste ponto, tenho o desagradável dever de corrigir alguns ensinamentos equivocados que ganharam destaque nos últimos anos. Desde a sua publicação nos EUA em 2001, o principal livro cristão sobre masculinidade tem sido *Coração selvagem*, de John Eldredge.[3] Este livro tornou-se praticamente uma marca artesanal, com vídeos de apoio, livros de atividades e até mesmo um "Manual de Campo". Na minha opinião, *Coração selvagem* ganhou força com os homens cristãos em grande

---

3 John Eldredge, *Coração selvagem: Descobrindo os segredos da alma do homem* (Rio de Janeiro: CPAD, 2004). Republicado recentemente pela Thomas Nelson Brasil (2019).

parte porque nos convoca a deixar de ser afeminados, a deixar de tentar entrar em contato com nosso "lado feminino" (o meu chama-se Sharon) e, em vez disso, a embarcar em uma busca emocionante para descobrir nossa identidade masculina. Posso dar um caloroso "amém!" à ideia de que os homens cristãos devem rejeitar uma ideia feminizada de masculinidade. O problema é que a abordagem básica da masculinidade apresentada em *Coração selvagem* é quase exatamente o oposto do que realmente é ensinado na Bíblia. Por esse motivo, na minha opinião, esse livro gerou muita confusão entre homens que buscam um sentido verdadeiramente bíblico de masculinidade.

Encontramos erros graves em *Coração selvagem* logo em seu começo, na passagem em que Eldredge discute Gênesis 2.8: "Eva foi criada dentro da beleza exuberante do Jardim do Éden. Mas Adão, se você se lembra, foi criado fora do jardim, no ambiente selvagem".[4] Eldredge pondera aqui que, se Deus "pôs o homem" no jardim, deve ter sido feito fora do jardim. Apesar de a Bíblia não dizer isso, é algo plausível. Contudo, mesmo assumindo isso como verdadeiro, o que devemos depreender disso? Eldredge faz um salto lógico desnecessário e praticamente inútil, concluindo que "o cerne do coração de um homem não é domesticado",[5] e, porque temos o "coração selvagem", nossas almas devem pertencer a um ambiente selvagem, e não ao jardim cultivado. Ou seja, Eldredge assume e depois ensina como um ponto de doutrina uma visão da masculinidade que simplesmente não encontra apoio nas Escrituras.

É fácil entender como esse ensinamento pareceu atraente aos homens que trabalham em prédios de escritórios ou se

---

4 Ibid., 3.
5 Ibid., 4.

sentem aprisionados pelas obrigações do casamento, da paternidade e da sociedade civilizada. Mas há algo que Eldredge não percebe. Deus *colocou* o homem no jardim. O ponto de *Coração selvagem* é que um homem encontra sua identidade fora do jardim, em aventuras selvagens. Em contraste, o ponto de Gênesis 2.8 é que Deus colocou o homem no jardim, no mundo dos relacionamentos e deveres pactuais, e era ali que ele deveria receber e praticar sua identidade dada por Deus. Se a intenção de Deus era que o homem tivesse um coração selvagem, é bastante estranho o fato de tê-lo colocado no jardim, onde sua vida seria moldada não por buscas autocentradas de identidade, mas por laços e bênçãos pactuais.

O que somos: senhores e servos

"Sede fecundos, multiplicai-vos, enchei a terra e sujeitai-a", disse Deus a Adão e a Eva em conjunto (Gn 1.28). Aqui começamos a ver "o quê" da masculinidade, ou seja, que Adão foi colocado no jardim para ser seu senhor e servo. Adão deveria glorificar a Deus ao se dedicar a frutificar em nome de Deus, começando no jardim e estendendo-se por toda a criação. Por essa razão, Adão era o assistente de Deus, exercendo autoridade sobre a criação: "dominai sobre os peixes do mar, sobre as aves dos céus e sobre todo animal que rasteja pela terra" (Gn 1.28).

Essa é a vocação da humanidade como um todo, tanto dos homens como das mulheres, mas especialmente dos homens. Deus colocou Adão em um papel de liderança em relação a Eva, referindo-se a ela como a "auxiliadora" de Adão (Gn 2.18, 20). Deus fez a mulher para Adão, e foi Adão quem deu nome à mulher, como havia nomeado todas as outras criaturas; pois ele era o senhor do jardim, servindo e representando o Senhor, seu Deus, que está acima de tudo. Adão não deveria dedicar-se, portanto, a infindáveis buscas por sua identidade masculina; ele deveria ser o senhor e o guardião do reino criado por Deus, trazendo glória ao Criador ao buscar espelhar a imagem de Deus como um servo fiel.

Como obedecemos a Deus: cultivar e guardar

Gênesis 2.7-8 nos diz *quem* o homem é, uma criatura espiritual feita para conhecer e glorificar a Deus; *onde* o homem está, colocado por Deus no coração do jardim que ele fez; e *o que* o homem é, o senhor e servo da glória criada por Deus. Finalmente, avançando alguns versículos até Gênesis 2.15, aprendemos *como* o homem deveria cumprir seu chamado: "Tomou, pois, o Senhor Deus ao homem e o colocou no jardim do Éden para o cultivar e o guardar".

Cultivar e guardar: aqui está o *como* da masculinidade bíblica, o mandato da Escritura para os homens. É meu mandato neste livro, portanto, procurar especificar, esclarecer, elaborar e aplicar esses dois verbos a esse projeto vitalício, glorioso e divinamente estabelecido de uma vida masculina:

- **Cultivar**. Cultivar é trabalhar para fazer com que as coisas cresçam. Nos capítulos seguintes, discutirei o trabalho em termos de nutrir, cultivar, cuidar, construir, orientar e governar.
- **Guardar**. Guardar é proteger e sustentar o progresso já alcançado. Mais adiante, falarei sobre isso como defender, proteger, vigiar, cuidar e manter.

Conceitualmente, há alguma sobreposição entre esses termos e, na prática, as ações de cultivar e de guardar frequentemente se misturam. Parece que Deus estava usando esses dois termos complementares para indicar o conjunto de atitudes e comportamentos que constituiriam a masculinidade como ele desejava que funcionasse. É útil, portanto, ver "cultivar" e "guardar" em Gênesis 2.15 como papéis separados, embora relacionados. Duas palavras que servem como bons resumos de ambos os termos são *serviço* e *liderança*, palavras modernas que se relacionam intimamente com as palavras bíblicas *servo* e *senhor*.

Com base no ensinamento de Gênesis 2, os homens devem entrar no mundo que Deus criou como os homens que ele nos fez para ser, senhores e servos sob sua autoridade, a fim de que possamos cumprir nosso mandato: cultivar e guardar.

A aventura começa

Permita-me terminar este capítulo voltando para Brian Deegan. A última coisa que esse irmão precisaria saber — recém-casado, com seu filhinho no colo e exercendo uma posição de influência em sua geração pelo talento que Deus lhe deu — é que Deus quer que ele veja a vida como uma série de aventuras egocêntricas na selva, a fim de poder encontrar seu eu masculino. Isso é exatamente o que Deegan estava fazendo *antes* de se tornar cristão. De fato, é disto que se trata a masculinidade moderna e pós-moderna: homens se comportando como meninos para sempre, servindo a si mesmos em nome da autodescoberta. (Podemos imaginar alguém como Ronald Reagan ou Winston Churchill falando sobre sair em uma busca por seu eu masculino? Eles estavam ocupados demais mudando o mundo.)

Deus tem algo muito mais empolgante para Brian Deegan, para você e para mim; pois é em obediência às Escrituras que a aventura da vida de um homem realmente começa. Deus nos chama para carregar sua imagem no mundo real, neste jardim que foi corrompido pelo pecado, mas está sendo redimido pelo poder da graça de Deus em Cristo. Ele nos chama para fazer isso na condição de líderes e servos na causa definitiva de espelhar a glória de Deus e frutificar o amor de Deus em relacionamentos reais. Este é o Mandato Masculino: que sejamos homens espirituais colocados em relacionamentos definidos por Deus no mundo real, como senhores e servos sob Deus, para dar o fruto de Deus ao servir e liderar.

Se você acha que isso parece entediante e que talvez você prefira buscar a vida selvagem para gratificar seu próprio ego, quero encorajá-lo a continuar por aqui até o capítulo 5, à medida que nos formos aprofundando nos ensinamentos de Gênesis 2. Então, se o ponto que estou tentando propor não lhe parecer convincente e você ainda quiser desistir e viver o resto de sua vida para sua própria glória, vá em frente. Mas o restante de nós prosseguirá buscando aplicar a vocação masculina em todas as relações pactuais da vida: casamento, paternidade, amizade e igreja. E, quando assim agirmos, descobriremos que seguir o simples mandato de Deus para os homens provê clareza e significado para nossas vidas — e, sim, aventura também. Viver para a glória de Deus, cumprindo nosso chamado para "cultivar e guardar" aquelas pessoas e ocupações colocadas sob nossos cuidados: é isso o que significa frutificar em nome de Deus, como homens criados por ele e colocados no mundo.

Espero que você se junte a nós.

Questões para reflexão e discussão

- Qual é a diferença entre encontrar sua identidade masculina na Bíblia e encontrá-la em uma vida de aventuras egoístas? Por que a Palavra de Deus é um guia mais seguro do que nossa experiência espiritual subjetiva?
- Gênesis 2 diz que a identidade de um homem inclui o senhorio de serviço em nome de Deus. Quais responsabilidades Deus deu a você e que autoridade ele colocou em suas mãos? Como você deve agir para que Deus esteja satisfeito e seu nome seja louvado? Há alguma responsabilidade futura para a qual você deveria estar se preparando agora? Como você pode fazer isso?
- Por que Deus quer que nossa identidade masculina seja forjada no jardim, e não na natureza selvagem? Por que é importante que os homens encontrem seu chamado nos relacionamentos dados por Deus?

Capítulo 2
O mandato masculino

Venho de uma família de cavaleiros, como soldados que montam a cavalo. Meu bisavô foi patrulheiro de cavalaria nas fronteiras do Velho Oeste. Meu avô comandou o último regimento de cavalaria do Exército (em 1938, acredite ou não). A essa altura, nossa família mudou de cavalos para tanques, e tanto meu pai como eu servimos como oficiais de tanque. Isso é suficiente para dizer que possuo uma quantidade razoável de apetrechos de cavalaria. Na verdade, estou escrevendo este capítulo em uma escrivaninha sob a gravura de um cavaleiro atirando montado em sua sela.

De todos os grandes filmes de cavalaria, nenhum ocupa um espaço mais querido em meu coração do que o clássico de John Wayne *Legião invencível*.[6] Interpretando o capitão Nathan Brittles, um veterano grisalho da Guerra Civil que está enfrentando o fim de sua carreira, o Duque é a própria masculinidade ambulante. Quando eu era um jovem oficial de cavalaria, não apenas assisti a esse filme cerca de umas mil vezes, como também absorvi muito de seu *ethos*. Qualquer um que tenha visto esse filme pode lhe dizer que a visão de masculinidade do capitão Brittles pode ser resumida em três palavras: "Nunca se desculpe"! Seguidas vezes, ele reúne seus

---

[6] N. do T.: *She wore a yellow ribbon* (1949), dirigido por John Ford.

tenentes infelizes, sempre com a mesma ênfase: "Nunca se desculpe, senhor"! Receio ter levado esse conselho mais a sério do que deveria; como resultado, meus primeiros vinte e poucos anos foram um pouco mais arrogantes do que precisavam ser.

Quando me tornei cristão, contudo, aprendi que nem toda fala masculina nos filmes de John Wayne deveria ser adotada. "Nunca se desculpe" pode parecer uma ótima fala na teoria, mas, na prática, pode aliar-se à natureza pecaminosa de um homem para torná-lo autoritário e arrogante. À medida que fui me familiarizando cada vez mais com as Escrituras, aprendi sobre duas outras palavras que resumem muito melhor como um homem deve viver. São as duas palavras que você leu no Capítulo 1 — palavras que revisitaremos ao longo deste livro: "cultivar" e "guardar".

Juntas, essas duas palavras servem como um resumo do mandato da Bíblia para o comportamento masculino. Os homens são chamados para ser homens, cumprindo sua vocação diante de Deus neste mundo: "Tomou, pois, o Senhor Deus ao homem e o colocou no jardim do Éden para o cultivar e o guardar" (Gn 2.15). De fato, nossa vocação na vida é simples assim (embora não seja fácil): devemos nos dedicar a cultivar/ construir e guardar/proteger tudo que for colocado sob nossa responsabilidade.

O que exatamente essas duas palavras significam? Vamos tomar alguns instantes para olhar mais de perto.

Cultivar: trabalhar como um jardineiro
Primeiro, vamos considerar *avad*, o termo hebraico traduzido em Gênesis 2.15 como "cultivar". Essa é uma palavra extremamente comum no Antigo Testamento, e pode aparecer como um verbo ou um substantivo. Como verbo, geralmente

significa "trabalhar", "servir", "cultivar" ou "realizar atos de adoração". Como substantivo, costuma indicar "servo", "oficial" ou "adorador". Como o contexto de Gênesis 2 é o Jardim do Éden, devemos primeiro considerar como *avad* se aplica no sentido agrícola. Adão foi chamado por Deus para preparar e cultivar o jardim, para que ele crescesse e gerasse abundância de frutos. Assim, o comando para "cultivar" está associado ao mandato anterior de ser fecundo e encher a terra (Gn 1.28).

O que faz um jardineiro para que seu jardim cresça? Ele cuida do jardim; ele o *cultiva*. Ele planta sementes e poda galhos. Ele cava e fertiliza. Seu trabalho torna os seres vivos mais fortes, belos e exuberantes. Enquanto trabalha, ele é capaz de contemplar e ver que realizou coisas boas. Existem fileiras de árvores altas, ricos campos de trigo, vinhedos abundantes e canteiros coloridos de flores.

Meu trabalho de verão favorito na faculdade era trabalhar para um paisagista. Todos os dias, íamos de carro ao local de trabalho — em geral, a casa de alguém — para plantar árvores, construir muros de jardim e colocar fileiras de arbustos. Era um trabalho difícil, mas gratificante. O que eu mais gostava era de olhar no retrovisor quando íamos embora e ver que tínhamos feito algo bom e que iria crescer.

Segundo a Bíblia, esse tipo de trabalho descreve uma das duas principais plataformas da vocação de um homem. Não que todos os homens devam literalmente trabalhar como jardineiros; antes, somos chamados a "cultivar" qualquer "campo" que Deus nos tenha dado. Os homens devem ser plantadores, construtores e cultivadores. A vida de trabalho de um homem deve ser gasta realizando coisas, geralmente como parte de uma empresa ou de outro grupo de pessoas. Devemos investir nosso tempo, nossas energias, nossas ideias e nossas paixões em trazer coisas boas à existência. Um homem fiel, portanto, é aquele que se dedicou a cultivar, construir e criar.

Veja a vida profissional de um homem cristão, por exemplo. Tratarei disso mais detalhadamente no próximo capítulo, mas, por ora, vamos observar que nossa vocação para o trabalho significa nos investirmos na realização de coisas de valor. Os homens deveriam usar seus dons, talentos e experiências para obter sucesso em causas que (se forem casados) tragam provisão para suas famílias. Isso pode ser qualquer coisa que conquiste um bem. Um homem pode fazer óculos, realizar pesquisas científicas ou gerenciar uma loja; os exemplos são quase infinitos. Mas, em cada caso, nosso mandato para o trabalho significa que devemos dedicar-nos a construir coisas boas e alcançar resultados dignos. Não há nada de errado em um homem que trabalha simplesmente para ganhar um salário, mas o cristão deseja corretamente que seu trabalho traga mais do que dinheiro para si mesmo e sua família. Os homens cristãos também devem desejar cultivar algo digno para a glória de Deus e o bem-estar de seus semelhantes.

Certamente, nosso "jardim" inclui não apenas coisas, mas também pessoas. Vários capítulos deste livro abordam relacionamentos, mas, por enquanto, vamos simplesmente reconhecer que o chamado do homem para cultivar significa que devemos nos envolver com o coração das pessoas colocadas sob nossos cuidados: as pessoas que trabalham para nós, aquelas que ensinamos e mentoreamos, e mais especificamente nossas esposas e filhos. Os dedos de um homem devem estar acostumados a trabalhar no solo do coração humano — o coração daqueles a quem ele serve e ama — para que ele consiga realizar parte do trabalho mais valioso e importante desta vida.

Esse mandato bíblico de cultivar, aqui com ênfase em desenvolver e cuidar, destrói um grande equívoco em relação aos papéis de gênero. Fomos ensinados que as mulheres são as principais nutridoras, enquanto os homens devem ser "fortes e silenciosos". Mas a Bíblia chama os homens a serem cultivadores, e isso inclui ênfase significativa em cuidar do coração daqueles que estão sob nossa responsabilidade.

Um marido é chamado a nutrir sua esposa emocional e espiritualmente. Esse não é um ato secundário de seu chamado como marido, mas é fundamental e central para seu chamado masculino no casamento. Da mesma forma, um pai é chamado a ter o propósito de lavrar e nutrir o coração de seus filhos. Qualquer conselheiro que tenha lidado com questões da infância pode lhe dizer que poucas coisas são mais prejudiciais a uma criança do que o afastamento emocional de seu pai. Há uma razão pela qual tantas pessoas estão paralisadas por causa de seu relacionamento com os pais: Deus deu o chamado primário de nutrição emocional e espiritual aos homens, e muitos de nós falham em executá-lo bem.

É através do braço masculino ao redor do ombro ou de um tapinha nas costas que Deus concede acesso mais rápido ao coração de uma criança ou de um empregado. Homens que procuram viver o Mandato Masculino serão nutridores.

Guardar: proteger como um cavaleiro

A outra metade do Mandato Masculino é encontrada na palavra *guardar*. Aqui, o significado básico é "proteger" ou "defender". Isso está contido em outra palavra hebraica comum, *shamar*, traduzida por termos como "vigiar", "guardar", "proteger", "tomar sob custódia" ou "cuidar". A palavra é usada para soldados, pastores, sacerdotes, guardiões e funcionários do governo. Particularmente, amo o modo como Deus usa essa palavra em relação a si mesmo. Com frequência, o Senhor afirma que guarda e protege aqueles que confiam nele. De fato, *shamar* é a ideia por trás da poderosa imagem bíblica do Senhor como uma torre ou uma grande fortaleza.

Veja, por exemplo, as grandes palavras do Salmo 121, que começa assim: "Elevo os olhos para os montes: de onde me virá o socorro? O meu socorro vem do Senhor, que fez o céu e a terra" (vv. 1-2). À medida que continuamos no salmo, vemos, cada vez mais, que a maior parte da ajuda que Deus nos dá vem na forma de "guardar", a mesma palavra usada no chamado de Adão em Gênesis 2.15. O salmo diz: "Ele não permitirá que os teus pés vacilem; não dormitará aquele que te guarda" (Sl 121.3). Isso diz que Deus está vigiando seu povo, para que não caia. "É certo que não dormita, nem dorme o guarda de Israel" (Sl 121.4). O Senhor está sempre na ativa, guardando seu povo. O salmo conclui: "O Senhor te guardará de todo mal; guardará a tua alma. O Senhor guardará a tua saída e a tua entrada, desde agora e para sempre" (Sl 121.7-8). Deus cuida dos crentes durante todo o tempo, protegendo-nos do mal e especialmente preservando nossas almas imortais para si mesmo. Que descrição maravilhosa do ministério de guarda de Deus! Seu chamado para os homens cristãos é parecido: devemos vigiar e guardar tudo que o Senhor colocou sob nossos cuidados.

Esse chamado para guardar completa o Mandato Masculino da Bíblia. Um homem não deve apenas empunhar o arado, mas também carregar a espada. Como senhor abaixo de Deus no jardim, Adão não deveria apenas torná-lo frutífero, mas também mantê-lo seguro. Da mesma forma, nosso mandato básico como homens cristãos é cultivar, construir e desenvolver (tanto coisas como pessoas), mas também servir de guarda, para que as pessoas e as coisas fiquem em segurança — para que o fruto do cultivo e da nutrição seja preservado.

Ser homem é pôr-se de pé e ser contado quando há perigo ou algum mal. Deus não deseja que os homens fiquem parados e deixem que danos ocorram, ou que a iniquidade avance. Pelo contrário, somos chamados a manter os outros seguros em todas as relações pactuais em que entramos. Em nossas famílias, nossa presença deve fazer com que nossas esposas e nossos filhos sintam-se seguros e tranquilos. Na igreja, devemos defender a verdade e a santidade contra a invasão do mundanismo e do erro. Na sociedade, devemos assumir nosso lugar como homens que se levantam contra o mal e defendem a nação da ameaça do perigo.

O retrato da grandeza

O restante deste livro aplicará esse Mandato Masculino às várias arenas da vida e do serviço masculinos: trabalho, lar e igreja local. "Tomou, pois, o Senhor Deus ao homem e o colocou no jardim do Éden para o cultivar e o guardar" (Gn 2.15), e ele ainda está chamando os homens para fazer com que as coisas boas cresçam e para manter as coisas preciosas em segurança. Se refletirmos um pouco, veremos que esses são os compromissos que costumamos admirar nos grandes homens, e isso não deveria nos surpreender. Os homens verdadeiramente grandes são servos que se entregam a uma causa digna e líderes que se levantam pelo que é certo. Se pensarmos a respeito, é isso que admiramos em todos os filmes de John Wayne. Tirando o estúpido ditado "nunca se desculpe" de

Legião invencível, vemos que praticamente tudo que o capitão Brittles faz recai nas categorias de cultivar ou guardar.

Se queremos ser os homens que Deus nos chama a ser — homens que são justamente admirados e respeitados por aqueles a quem amamos, homens que cumprem fielmente o dever diante de Deus —, então tomaremos como nosso lema e palavra de ordem o Mandato Masculino que nós, como homens, recebemos de Deus: vamos *cultivar* e *guardar*.

Questões para reflexão e discussão

- O autor expressa a preocupação com o fato de que os homens foram ensinados a ser "fortes e silenciosos". O que há de errado com um homem emocionalmente distante?
- Como sua vida foi beneficiada pelo ministério de cultivo do coração de outro homem? Ou como você sentiu falta desse ministério? Em quais relacionamentos o Senhor desafiaria você a se envolver mais, com o propósito de nutrir e cultivar o respectivo crescimento?
- Gênesis 2:15 mostra que os homens devem ser guardiões/protetores. Quais são as ameaças para as pessoas ou coisas sob seus cuidados? Como você deveria pensar sobre seu chamado para mantê-los seguros?
- O autor afirma que o Mandato Masculino "é simples, mas não é fácil". Esse é um conjunto simples de ideias? Se for, isso as torna sem importância? Por que não é fácil cumprir esse mandato, se as ideias são simples? Quais mudanças são necessárias em sua vida para que você possa abraçar melhor o chamado que Deus deu ao homem no jardim?

Capítulo 3
A vocação sagrada do homem para o trabalho

Ninguém respeita um homem que não trabalha. É simples assim. Tudo bem se um homem for burro, feio ou até um pouco desagradável, desde que trabalhe duro. Mas nada é pior que um cara que não trabalha.

Considere o desprezo a que o apóstolo Paulo relega um homem preguiçoso: "se alguém não quer trabalhar, também não coma" (2Ts 3.10). O cristianismo não diz: "Bem, se ele não trabalhar, nós apenas lhe daremos o que ele precisa". Não; Paulo diz: "Deixe-o passar fome até ele começar a trabalhar". Por que é assim? Porque os homens são feitos por Deus para trabalhar. Os homens têm o dever de trabalhar. Os homens gostam de trabalhar e se sentem muito bem quando trabalham duro. A vida de um homem é uma vida de trabalho. Isso é bom e agrada a Deus.

O trabalho aqui e agora

Não estou tentando romantizar o trabalho. Percebo que às vezes muitos homens toleram, não gostam ou até mesmo detestam seus empregos. Mas, por trás de boa parte dessa frustração com o trabalho insatisfatório, está o reconhecimento, no fundo do coração de um homem, de que o trabalho deve ser significativo e agradável.

Os caras que coletam lixo no meu bairro quase sempre parecem gostar de seu trabalho. Em geral, operando em trios, esses homens são como uma máquina bem lubrificada. Um dirige o caminhão com habilidade e prazer, enquanto os outros dois correm como atletas para pegar os latões da rua e esvaziá-los no triturador, pulando na traseira do caminhão quando necessário. Nas minhas limitadas interações com esses homens, eles se mostram agradáveis e atentamente concentrados em seu trabalho. Eles podem não estar em uma posição a que muitos de nós aspirariam, pode não ser uma tarefa particularmente agradável, e não imagino que muitos queiram fazer isso durante toda a sua carreira, mas é um trabalho honesto e honrado, e tudo indica que eles o consideram satisfatório. Para mim, isso fala muito sobre o valor intrínseco do trabalho.

Trabalho, identidade e o efeito do pecado

Provavelmente todo homem já provou, em algum momento, a profunda satisfação de um trabalho bem-acabado. Por que o trabalho tem esse valor intrínseco? *Porque fomos feitos para ele.* Deus colocou Adão no jardim e o pôs para trabalhar. Portanto, porque Deus é bom e escolheu ser glorificado por meio de nosso trabalho, podemos desfrutá-lo e encontrar uma parte significativa de nossa identidade nele. De fato, conquanto consideremos o trabalho em equilíbrio adequado, mantendo nossa identidade primária em Cristo, Deus quer que invistamos uma paixão significativa em nosso trabalho e encontremos significado verdadeiro nele.

Em diversos momentos, todos nós lutamos contra as tentações da glória mundana, do poder egoísta ou dos prazeres pecaminosos que podem ser associados ao trabalho. Às vezes, podemos perceber que boa parte de nossa identidade tornou-se condicionada a quem nós somos profissionalmente. Certamente, nada disso é culpa do trabalho. Tudo isso tem origem em nossos corações pecaminosos e em nossa capacidade trágica de manchar tudo que tocamos com idolatria e egoísmo. No entanto, nossa pecaminosidade não altera o fato de que o trabalho é uma vocação sagrada do homem, recebida da mão do próprio Deus.

De fato, embora a entrada do pecado no jardim tenha alterado a *natureza* do trabalho, o chamado de Deus para o homem trabalhar é inteiramente santo e bom. Bruce Waltke diz com razão: "O trabalho é um dom de Deus, não um castigo pelo pecado. Mesmo antes da queda, a humanidade tinha tarefas a cumprir".[7] Foi depois que Deus disse a Adão para ser frutífero — por meio de seu trabalho — que declarou que a criação era "muito boa" (Gn 1.31).

Depois da queda de Adão, o trabalho continuou a ser bom para o homem. Mas, devido à maldição de Deus sobre a terra por causa do pecado humano, tornou-se necessário que o homem não apenas trabalhasse, mas que também trabalhasse *duro*:

> [...] maldita é a terra por tua causa; em fadigas obterás dela o sustento durante os dias de tua vida. Ela produzirá também cardos e abrolhos, e tu comerás a erva do campo. No suor do rosto comerás o teu pão, até que tornes

---

7 Bruce K. Waltke, *Genesis: A Commentary* (Grand Rapids, Michigan: Zondervan, 2001), 87.

à terra, pois dela foste formado; porque tu és pó e ao pó tornarás (Gn 3.17-19).

Em nosso mundo caído, sob a sombra da maldição da morte e da futilidade, ou trabalhamos duro ou nossas famílias sofrem. De acordo com o livro de Provérbios, a diligência no trabalho é uma característica essencial que os homens devem cultivar: "O que trabalha com mão remissa empobrece, mas a mão dos diligentes vem a enriquecer-se" (Pv 10.4); "O preguiçoso não assará a sua caça, mas o bem precioso do homem é ser ele diligente" (Pv 12.27). No entanto, por vezes ouço pastores ou psicólogos cristãos afirmando aos homens que nunca devem atrasar-se para o jantar nem viajar para longe a trabalho. Eu discordo disso. É verdade que os homens não devem perseguir seu trabalho tão obstinadamente que os deveres familiares fiquem excluídos ou constantemente comprometidos. Mas, em nosso mundo caído, os homens têm a obrigação de se esforçar e dar tudo de si no local de trabalho — e isso pode envolver algumas noites de horas extras e viagens de negócios. De todos os homens, os cristãos devem ser especialmente trabalhadores, dando *mais* do que um dia de trabalho honesto por um dia de salário.

Ao pensar em como a necessidade de trabalhar está enraizada na alma do homem, e no prazer que podemos obter com o trabalho, acho interessante que até mesmo muitas das coisas que tratamos como hobbies são, na verdade, formas de trabalho. Alguns homens gostam de relaxar através da carpintaria, que é, obviamente, uma forma de *trabalhar* com madeira. Outros gostam de trabalhar no jardim ou restaurar carros. Alguns homens gostam de pescar, o que é um tipo de trabalho, enquanto outros gostam de escalar montanhas, o que parece dar muito trabalho. Meu amor por acompanhar o beisebol envolve bastante matemática, o que torna o passatempo muito mais divertido para mim. Mesmo em nosso lazer, vemos que os homens são feitos para o trabalho.

Ecos diários de Gênesis 2

Você já percebeu que, quase sempre, o segundo assunto que surge quando dois homens se encontram envolve trabalho? Eu me sento ao lado de um homem em um avião e o que ele pergunta? "Qual é o seu nome?". Eu respondo: "Rick Phillips". A próxima pergunta é incrivelmente constante: "O que você faz?". A forma como respondemos diz às pessoas o que pensar de nós.

Posso responder à pergunta de várias maneiras. Posso dizer: "Sou escritor" e, nesse caso, o homem pensará que sou uma pessoa interessante com muitas considerações. Ou posso dizer: "Sou educador". Então, ele pensará que sou uma pessoa com conhecimento especializado, e me questionará mais para descobrir qual é essa área de conhecimento. Se eu disser: "Sou pregador", ele começará a olhar pela janela, com receio de que eu vá perturbá-lo em relação a seus pecados (normalmente, a resposta que dou depende de estar ou não interessado em conversar). O ponto é que a resposta para "o que você faz?" diz às pessoas muito do que elas querem saber sobre um homem.

Em um mundo no qual Deus chamou os homens para trabalhar, isso não deveria ser surpreendente. Você vê a ligação teológica aqui? Nesse exemplo ordinário, temos um vislumbre da profundidade da Escritura, o tipo de brilho que percebemos o tempo todo, se prestarmos atenção. As conversas simples de "quem é esse cara" que temos com estranhos não são eventos aleatórios; brotam da teologia do trabalho e da vocação enraizada no jardim e registrada em Gênesis 2.

O trabalho no céu

O trabalho é tão central para o chamado de um homem que, além de adorar, os cristãos vão trabalhar até mesmo no céu. Vemos isso na parábola das dez minas de Jesus.

A parábola diz que um senhor viajou, confiando uma grande soma de dinheiro a seus servos. Dez deles receberam uma mina cada, o equivalente a cerca de seis meses de salário. Quando o senhor retornou, verificou as contas (essa é mais uma passagem em que vemos o chamado dos homens para o trabalho). Um de seus servos apresentou um lucro de dez minas, ao que o Senhor respondeu: "Muito bem, servo bom; porque foste fiel no pouco, terás autoridade sobre dez cidades" (Lc 19.17). Outro servo ganhou cinco minas e recebeu autoridade sobre cinco cidades (Lc 19.18-19). Jesus ensinou isso para nos instruir sobre seu próprio retorno e a recompensa que será dada aos seus servos fiéis. Qual é a nossa recompensa? Não são férias, mas uma promoção! Nossa recompensa é a capacidade de trabalhar mais ao lado de nosso Senhor no céu.

Vemos a mesma coisa na parábola dos talentos, em Mateus. Um dos servos investiu seus cinco talentos e ganhou mais cinco. Jesus disse-lhe: "Muito bem, servo bom e fiel; foste fiel no pouco, sobre o muito te colocarei; entra no gozo do teu senhor" (Mt 25.21). Repare, novamente, que a recompensa pelo serviço fiel é a oportunidade para um trabalho mais glorioso e eterno com Jesus no novo céu e na nova terra, depois que Jesus voltar e o cosmos renascer (veja Mt 19.28; Rm 8.19-23). Jesus chama isso de entrar "no gozo do teu senhor", que inclui pelo menos a alegria de seu trabalho celestial. Essa é a bênção para a qual somos salvos. Não tenho a menor ideia de como será trabalhar no céu, mas tenho certeza de que será mais satisfatório do que a diversão mais agradável que já experimentei aqui na terra.

O trabalho certo para você aqui

Isso significa que todo trabalho é igual? É claro que não. As pessoas mundanas medem o valor de um emprego pelo dinheiro que paga ou pelo prestígio que oferece. Certamente, os cristãos pensam de outra maneira. Nossas preocupações devem ser:

- Este trabalho glorifica a Deus?
- Beneficia meu próximo?
- Eu me considero chamado para este trabalho, ou pelo menos consigo fazê-lo bem e encontrar prazer nele?
- Ele provê as necessidades materiais?
- Ele me permite levar uma vida equilibrada e piedosa?

Glorificar a Deus

O Senhor nos fez e nos redimiu para que pudéssemos carregar sua imagem e servir à causa de sua glória. É por isso que existimos. Uma vez que nosso trabalho é tão central para quem somos, devemos perguntar se ele se opõe a esse propósito ao nos levar a associações ou atividades que são pecaminosas. As exigências do meu trabalho me levam a comprometer padrões verdadeiramente bíblicos de comportamento? Um exemplo negativo seria um trabalho de vendas que envolva engano ou uma posição de gerência que exija abuso de funcionários. Uma boa pergunta é: "Eu me sentiria constrangido se meu pastor visitasse meu local de trabalho?".

A Bíblia diz: "Amarás, pois, o Senhor, teu Deus, de todo o teu coração, de toda a tua alma e de toda a tua força" (Dt 6.5). Portanto, devemos perguntar: "Meu trabalho honra a Deus com integridade e decência?".

Servir aos outros

Os cristãos também devem buscar ganhar a vida fazendo algo que beneficie outras pessoas. Ao mandamento do Antigo Testamento de amar a Deus, Jesus acrescentou: "Amarás o teu próximo como a ti mesmo" (Mt 22.39). Com isso em mente, não vejo como os cristãos podem ganhar a vida fazendo um trabalho que não gere nenhum benefício real para outras pessoas. Os vendedores de remédios ou aparelhos modernos que oferecem produtos que sabem ser inúteis ou excessivamente caros são um bom exemplo. Outro exemplo seria um especulador no mercado de ações que dedica todas as suas energias a comprar e vender suas próprias ações para ganho pessoal, sem nenhuma intenção de usar os lucros para ajudar os outros. (Isso é muito diferente dos corretores de ações, que usam seus conhecimentos para administrar, de forma hábil, o dinheiro de outras pessoas.)

Existem muitas maneiras pelas quais podemos usar nossos dons e habilidades para beneficiar os outros. Certamente, como cristãos, podemos encontrar algo para fazer que beneficie outras pessoas e honre a Deus, mesmo que, ao final, ganhemos um pouco menos. Como Jesus disse de maneira direta: "Não podeis servir a Deus e às riquezas" (Mt 6.24).

Vocação e prazer

Os apóstolos foram especialmente vocacionados por Jesus para servir a ele, e sabiam disso. Paulo descreveu-se assim: "Paulo, servo de Jesus Cristo, chamado para ser apóstolo, separado para o evangelho de Deus" (Rm 1.1; cf. At 9.15). Os ministros do evangelho devem ter esse senso de vocação especial ao seu trabalho. Pastores e missionários devem encontrar em seu trabalho um senso de chamado divino — extraído tanto da motivação interna como da preparação espiritual — que seja confirmado pela igreja.

Em outras profissões, é possível alguém ter a sensação similar de ser a "pessoa certa" para uma posição específica ou tipo de carreira. Muitas vezes isso é verdade para aqueles que servem aos outros de maneiras muito diretas — médicos e enfermeiros, bombeiros e policiais, por exemplo. No entanto, obviamente, esse senso de vocação mais explícito não é universal. Assim, se, como cristão, seu emprego ou carreira não ministerial não parece vir com um "selo de aprovação" evidente, isso não é necessariamente motivo de preocupação. Para você, a pergunta pode resumir-se a: "Quando faço bem este trabalho, é algo satisfatório?". Uma resposta positiva a essa pergunta é uma boa indicação de que o que você faz cumpre o mandato de Gênesis 2.

Necessidades materiais

Se você se encontra em um trabalho em que é constantemente incapaz de atender às necessidades materiais básicas — para si mesmo como homem solteiro ou como chefe de sua família —, com margem apenas para poupar alguma coisa e dar o dízimo à sua igreja, deve fazer a si mesmo duas perguntas. Primeira: *estou me esforçando por um estilo de vida que é irreal à luz do meu potencial de gerar renda?* Se você não está exagerando nessa área nem cedendo às poderosas e frequentemente ilusórias tentações do materialismo, então a segunda pergunta torna-se muito significativa. *Por que estou obviamente subempregado, e o que preciso fazer a esse respeito?*

Vida piedosa e equilibrada

Se alguns homens estão subempregados, outros estão no que pode ser chamado "excesso de emprego". Trata-se de homens que se encontram tão envolvidos em seus empregos que suas vidas estão geralmente em desequilíbrio. Como disse anteriormente, todos nós podemos esperar ter de fazer horas extras ou viajar a negócios vez ou outra. Mas Deus nunca espera que fiquemos por longos períodos tão consumidos pelo trabalho que sejamos obrigados a negligenciar a família, os amigos, a vida na igreja ou o tempo diário com Deus.

Tempos de trabalho

Obviamente, o que faz de um emprego ou de uma carreira algo certo para um homem pode mudar ao longo do tempo. Minha própria história de trabalho pode fornecer uma ilustração bastante útil.

No verão anterior ao meu primeiro ano na faculdade, minha família se mudou para Detroit, Michigan, onde a indústria automobilística americana já começava a mostrar sinais de decadência. Junto com meu irmão mais velho, consegui emprego em uma fábrica de plásticos que produzia peças para carros. Era um trabalho honesto, que dava uma contribuição pequena, embora concreta, ao mundo.

Entretanto, era um trabalho miserável; os supervisores nos tratavam como lixo porque éramos "garotos de faculdade". De fato, era trabalho escravo. Paulo diz que aqueles que estão presos na escravidão (ou em um trabalho como o nosso) devem contentar-se com a provisão de Deus. "Mas, se ainda podes tornar-te livre", acrescenta ele, "aproveita a oportunidade" (1Co 7.21). Bem, assim que outra colocação se tornou disponível, meu irmão e eu saímos da fábrica, jurando nunca mais aceitar um emprego assim novamente.

Durante o resto dos meus anos de faculdade, meu trabalho de verão era jardinagem. Era um trabalho manual que pagava apenas um salário decente. Mas eu gostava de trabalhar ao ar livre, gostava da camaradagem das equipes de trabalho, ficava satisfeito com o que realizávamos e, de qualquer modo, eu tinha apenas necessidades financeiras moderadas. Mesmo assim, minha experiência como força de trabalho braçal aumentou meu entusiasmo pelos estudos. Eu sabia que queria encontrar uma carreira que envolvesse minha mente e minhas paixões ao menos tanto quanto minhas pernas e meus braços.

Não causa surpresa que, depois de terminar a faculdade, eu tenha sido convocado pelo Exército dos Estados Unidos. Meu pai e meu avô haviam sido oficiais de carreira, e eu havia cursado a faculdade com uma bolsa de estudos do próprio Exército. Meus vinte e poucos anos foram gastos comandando tanques e unidades de reconhecimento que eram quase sempre destacadas ou iam a campo em missões de treinamento. Foram dias ótimos para mim, nos quais meu caráter e liderança foram desafiados e aperfeiçoados.

Por volta dos 25 anos, comecei a me perguntar se o Exército era realmente a carreira que eu queria, ou se havia simplesmente seguido os passos do meu pai. Isso certamente era verdade, mas decidi que iria me comprometer com a carreira militar. Lembro-me de pensar que logo gostaria de encontrar uma esposa e sossegar. O problema era que eu ainda estava em missão quase o tempo todo. Agora comandando unidades maiores ou ocupando cargos mais importantes, eu dificilmente estava em posição de "sossegar" em algum lugar.

A oportunidade surgiu quando o Exército me enviou à escola de graduação, para ser professor da academia militar de West Point. Durante esses dois anos de estudo, algo mais importante aconteceu comigo. Fui convertido à fé em Cristo. Também conheci minha futura esposa e fiquei noivo. No entanto, minha carreira não mudou. Foi somente nos anos seguintes, quando Deus me persuadiu com veemência de que estava me chamando para deixar o Exército e servi-lo a ele como ministro vocacionado, que dei o passo assustador de deixar minha carreira e me oferecer ao ministério em tempo integral.

O tipo de progressão que experimentei é comum a muitos homens. Começamos por baixo, e a dificuldade e os baixos retornos dos serviços mais inferiores nos motivam a trabalhar duro na escola e a nos preparar para carreiras mais recompensadoras. Tentamos entrar nos campos em que temos interesse, nos quais o trabalho será agradável e onde podemos prover para nossas esposas e famílias. Às vezes o Senhor intervém e nos redireciona; nesses casos, precisamos buscar, em espírito de oração, seguir sua orientação.

Trabalhando para agradar ao Senhor

Eric Liddell foi um corredor cristão escocês que se recusou a competir no dia do Senhor nas Olimpíadas de 1924. Em

Carruagens de fogo,⁸ o filme que narra sua ousada decisão nesses Jogos Olímpicos, Liddell é retratado compartilhando com sua irmã: "Quando corro, sinto que Deus tem prazer". Quando essa fala é citada entre os cristãos, a percepção do prazer de Deus é geralmente apresentada como uma espécie de afirmação ou teste decisivo para saber se estamos ou não fazendo a vontade de Deus. Até aí, tudo bem; mas precisamos reconhecer que esse teste coloca o foco quase exclusivamente no lado humano. "Quando corro, sinto...". No entanto, a parte mais importante dessa afirmação são as últimas palavras: "... que Deus tem prazer". Ao fazer o que ele nasceu para fazer de uma forma que honrava a Deus, a coisa mais importante não era que Liddell *sentisse* o prazer de Deus, mas que *desse* prazer a Deus; ele agradava a Deus. De forma semelhante, os homens cristãos devem usar suas habilidades dadas por Deus ao máximo, buscando dar prazer a Deus por meio do trabalho que oferecemos a ele.

Em todo o nosso trabalho como homens cristãos, em qualquer época que estivermos e onde quer que nos encontremos na jornada de nossa carreira escolhida, a melhor maneira de honrar a Deus em nosso trabalho é oferecer tudo o que fazemos diretamente ao próprio Senhor. Em todas as coisas, nosso objetivo deve ser agradar a ele. Esta é a exortação de Paulo: "E tudo o que fizerdes, seja em palavra, seja em ação, fazei-o em nome do Senhor Jesus, dando por ele graças a Deus Pai" (Cl 3.17).

Uma vez que quase todos nós realizamos nosso trabalho em associação com outras pessoas, em um sentido prático,

---

8   N. do T.: *Chariots of Fire* (1981), dirigido por Hugh Hudson.

quase tudo o que fazemos, fazemos pelos outros. Aqueles que estão nos degraus inferiores da escada são chamados para servir àqueles que estão acima deles de um modo que agrade a Deus. Igualmente, aqueles que estão nos degraus mais altos são chamados a liderar os que estão abaixo deles de um modo que agrade a Deus. Os clientes têm obrigações estabelecidas por Deus em relação aos vendedores, assim como os vendedores têm em relação aos clientes. Fazemos nosso trabalho *para os homens* de uma maneira que seja agradável *a Deus*. Isso envolve trabalhar com motivação bíblica e uma atitude de santidade, buscando, de forma diligente, a excelência, enquanto buscamos amar os outros como amamos a nós mesmos.

Servir aos que estão acima de nós

Um trabalhador cristão em um cenário do século XXI é chamado a seguir as instruções que Paulo deu aos servos cristãos da antiga Colossos:

> Servos, obedecei em tudo ao vosso senhor segundo a carne, não servindo apenas sob vigilância, visando tão-somente agradar homens, mas em singeleza de coração, temendo ao Senhor. Tudo quanto fizerdes, fazei-o de todo o coração, como para o Senhor e não para homens, cientes de que recebereis do Senhor a recompensa da herança. A Cristo, o Senhor, é que estais servindo (Cl 3.22–24).

Como a própria escola é um tipo de trabalho, usarei um exemplo dos meus dias em West Point para ilustrar isso. Havia um cadete na minha classe que era um cristão dedicado e um líder em estudos bíblicos estudantis. Depois que ele foi reprovado em um exame, chamei-o para discutir sua nota. Sabendo que eu era cristão, ele disse que eu "entenderia" que seus estudos bíblicos haviam sido mais importantes do que estudar para o teste em que ele fora reprovado. Na verdade, eu não entendi.

Em um nível, esse cadete estava demonstrando uma compreensão teológica pobre. Mas, ao mesmo tempo, ao apelar para nossa fé em comum, em um esforço para justificar sua preguiça e suas prioridades erradas, ele estava buscando agradar a homens. Depois de exigir que ele permanecesse atento enquanto eu o repreendia, eu o informei de que ele estava desonrando o Senhor ao fracassar em cumprir seus deveres como estudante. Seja como estudante, seja como funcionário, não honramos o Senhor quando negligenciarmos as obrigações de trabalho que aceitamos e que os outros creem que honraremos.

Liderar os que estão abaixo de nós

Um pregador deve preparar e entregar seus sermões para o benefício da congregação — não é agradável a Deus que um homem pregue como se ninguém estivesse ali. Mas ele deve pregar de uma maneira que, em primeiro lugar, seja agradável ao Senhor, buscando sua aprovação por ser um ministro fiel de sua Palavra, *antes* de considerar se a congregação vai gostar ou não.

Da mesma forma, a primeira obrigação de um empregador ou gerente não é definir políticas ou perseguir metas cujo foco primário seja tornar os funcionários tão felizes e seguros quanto possível. Ao mesmo tempo, ele deve reconhecer que Deus deseja que seus empregados sirvam de maneira significativa, produtiva, lucrativa e adequada a seus dons e talentos. Isso apresenta inúmeras implicações para a contratação, o treinamento, a alocação e a gratificação dos funcionários.

Amar os outros nas interações diárias

Fazer todas as coisas para o Senhor afetará radicalmente a maneira como tratamos os outros na interação básica do dia a dia. Jesus ensinou que, no julgamento final, louvará seu povo pelas menores misericórdias que eles mostraram aos outros em seu nome:

> Porque tive fome, e me destes de comer; tive sede, e me destes de beber; era forasteiro, e me hospedastes; estava nu, e me vestistes; enfermo, e me visitastes; preso, e fostes ver-me. Então, perguntarão os justos: Senhor, quando foi que te vimos com fome e te demos de comer? Ou com sede e te demos de beber? E quando te vimos forasteiro e te hospedamos? Ou nu e te vestimos? E quando te vimos enfermo ou preso e te fomos visitar? O Rei, respondendo, lhes dirá: Em verdade vos afirmo que, sempre que o fizestes a um destes meus pequeninos irmãos, a mim o fizestes (Mt 25.35-40).

Os cristãos que trabalham para o Senhor lembram que Deus se importa com o modo como tratamos as outras pessoas. Porque nos lembramos disso, tornamos nosso próprio prazer glorificá-lo através da sinceridade, da integridade, da gentileza e do amor. Jesus nos lembra que, quando estivermos diante dele, a grande questão de nossas vidas não será as realizações que alcançamos, as honras que conquistamos ou as riquezas que acumulamos, mas a humildade com que glorificamos a Deus e servimos ao próximo dia após dia.

Uma audiência de um

Fui ajudado por uma ilustração que, com frequência, me lembro e sobre a qual medito. É a história de um jovem e talentoso pianista fazendo seu concerto de estreia no famoso Carnegie Hall. Sua execução foi magnífica e, depois que ele deixou o palco, a plateia explodiu em aplausos. O simpático diretor de palco pediu ao jovem virtuoso que voltasse para o bis. Mas o jovem se recusou. O homem mais velho respondeu: "Olhe através das cortinas. Eles o amam! Vá fazer o bis!". O pianista respondeu: "Você vê o homem velho no balcão à esquerda?". O diretor de palco olhou para fora e respondeu que sim. "Aquele homem está sentado. Eu não vou sair para o bis até ele ficar de pé e aplaudir." Então, exasperado, o diretor de palco disse: "Apenas um homem não está de pé e você não vai fazer o bis?". E o pianista respondeu: "Veja, aquele homem velho é meu professor de piano. Só quando ele se levantar é que eu voltarei para o bis".

Essa história me lembra que não devemos viver para o louvor do mundo, mas para a audiência de um só. Se Deus se agrada com nosso trabalho, mesmo que o mundo todo se oponha a nós, podemos ficar satisfeitos. Por outro lado, se o mundo está aplaudindo e nos cercando de recompensas, mas Deus está descontente, então temos razão para reconsiderar nossas escolhas. O jovem pianista não tocava apenas para seu professor; ele ofereceu seu trabalho para abençoar a todas as pessoas presentes. O ponto, no entanto, é que ele entendeu que os verdadeiros louvor e recompensa que ele mais deveria desejar eram os de seu mestre. Assim é também para um homem de Deus.

A boa notícia é que, como "filhos amados" de Deus (Ef 5.1) que foram aceitos em seu favor por meio da graça de Jesus Cristo, não vivemos e trabalhamos diante de um Deus severo ou difícil. A ilustração não nos deve dar a impressão de que é impossível agradar a nosso Deus e Pai, mesmo que o mundo inteiro ame o que estamos fazendo. Antes, diz que devemos, em última instância, medir o sucesso de acordo com os padrões de Deus, dados em sua Palavra. Nosso trabalho deve ser o da fé, oferecido para a glória de Deus e o bem-estar de nosso próximo.

Podemos estar certos de que, ao servirmos a Deus fielmente e com o coração sincero, oferecendo-lhe o trabalho que ele nos deu e confiando no sangue de Cristo para nos purificar de todos os nossos pecados e falhas, nosso trabalho receberá as honras do Senhor. Quaisquer coroas que ele tenha prazer em colocar em nossas cabeças, teremos o prazer de colocá-las de volta a seus pés. O Senhor é a nossa audiência de um, e nós servimos ao próximo para louvar a Deus e para que ele tenha prazer em nós.

Questões para reflexão e discussão

- Você acha que as pessoas vinculam sua identidade ao seu trabalho? O que seu trabalho (ou seu estudo em preparação para um trabalho futuro) diz sobre você?
- O autor destaca que, como resultado da queda, o trabalho de um homem é difícil e exigente. Como você experimenta isso? Quais frustrações você enfrenta em sua vida profissional? Como você administra as tensões entre o lar e o local de trabalho para conseguir ser fiel em ambos os lugares?
- O autor afirma que os homens foram feitos para o trabalho. Você considera que gosta de trabalhar? O material bíblico apresentado aqui o desafia a reconsiderar sua atitude em relação ao trabalho?
- Se você ainda está na escola, como está se preparando agora para sua futura ocupação? Sobre que coisas

específicas você pode orar ao Senhor a respeito de abraçar a vocação de um homem para o trabalho?
+ Como você se sente sobre seu trabalho? O material apresentado aqui sobre como avaliar o trabalho ajuda você a pensar em sua carreira? Você acha que o que faz honra a Deus e serve aos outros? Você estaria disposto a receber uma visita de seu pastor em seu local de trabalho? Quais mudanças você poderia fazer em seu trabalho que tornariam seu serviço mais agradável a Deus? Há algum conflito entre as expectativas de seu chefe e as expectativas do Senhor em relação ao seu trabalho? Como você lida com eventual tensão entre os dois?

Capítulo 4
O homem como a imagem de Deus

É hora de fazer uma pergunta curiosa: por que os homens são proibidos de confeccionar imagens que representem a Deus? Porque o Senhor ordenou ao homem que não *fizesse* uma imagem de Deus, mas que *fosse* a imagem de Deus. Vemos isso no que é praticamente o primeiro ensinamento da Bíblia sobre a humanidade: "Também disse Deus: Façamos o homem à nossa imagem, conforme a nossa semelhança; [...] Criou Deus, pois, o homem à sua imagem, à imagem de Deus o criou; homem e mulher os criou" (Gn 1.26-27).

O que significa para o homem carregar a imagem de Deus? Significa que, em toda essa vasta criação, com montanhas altas para mostrar a grandeza de Deus e oceanos ondulantes para dar testemunho de seu poder, com pássaros emplumados para revelar a criatividade de Deus e animais que rugem para exibir sua majestade, Deus colocou a humanidade na terra para que ele fosse especialmente conhecido em meio à sua criação. É por isso que, quando o Breve Catecismo de Westminster faz sua primeira pergunta: "Qual é o fim principal do homem?", a resposta é: "O fim principal do homem é glorificar a Deus e gozá-lo para sempre". Em outras palavras, o homem deve glorificar a Deus e deleitar-se para sempre no conhecimento dele.

"Carreguem minha imagem", disse Deus, com efeito, para Adão e Eva. Ainda que a imagem de Deus em nossa raça tenha sido manchada e danificada pelo pecado, continua a ser vocação do homem carregar essa imagem neste mundo. Hoje, todos os homens carregam essa imagem em alguma medida; mas, pela graça, os cristãos carregam-na em maior medida e são chamados a investir suas vidas para aumentá-la. Isso porque, enquanto o Adão caído ainda estava no jardim, um Messias foi prometido. O propósito daquele Messias, que ele cumpriu perfeitamente, era comprar homens por seu próprio sangue para que eles pudessem glorificar a Deus com suas vidas e, então, desfrutá-lo para sempre — como diz o catecismo. Portanto, nós, cristãos, comprados por esse sangue, somos chamados e capacitados a carregar a imagem de Deus em um grau que, de outra forma, seria impossível para nós. É por isso que Jesus, nosso Messias, nos exorta, dizendo: "Assim brilhe também a vossa luz diante dos homens, para que vejam as vossas boas obras e glorifiquem a vosso Pai que está nos céus" (Mt 5.16). Como homens cristãos redimidos do pecado, recebemos uma vocação elevada, de fato.

Pode ser verdade que os homens descrentes passam a vida tentando "se encontrar" e mostrar o próprio sucesso perante o mundo. Mas os homens que foram redimidos do pecado por meio de Jesus Cristo foram libertos da escravidão do ego para viver para a glória de Deus em todas as coisas. Pela maneira como vivemos, queremos que os outros — nossos amigos, familiares e colegas de trabalho — vejam algo da verdade e da graça de Deus em Cristo, para que sejam encorajados a buscá-lo para sua própria salvação. Este é o fim principal de nossas vidas e nosso mais sincero desejo: de que os outros possam ver algo da glória de Deus em nós — sua misericórdia, sua fidelidade, seu poder e sua graça.

Carregando a imagem de Deus

De que maneiras a humanidade foi especialmente feita "à imagem de Deus"? De que formas podemos mostrá-lo ao mundo? Gostaria de abordar brevemente três áreas em particular.

Fomos criados como seres racionais e espirituais

A resposta tradicional tem sido apontar para a natureza dupla do homem como uma criatura capaz de atividade racional e também espiritual. Apenas o homem é capaz de adorar a Deus (espiritual) e tem capacidade de raciocínio (racional) que excede em muito todas as outras espécies, por mais impressionantes que sejam suas habilidades. A combinação dessas duas naturezas nos distingue dos animais. Isso, certamente, faz parte do que significa para o homem carregar a glória de Deus. Contudo, ainda não é a imagem inteira.

Recebemos domínio sobre a criação

Outro fator é o domínio do homem sobre a criação, concedido por Deus. Acomodado entre os dois versículos que mostram o homem feito à imagem de Deus (Gn 1.26-27), encontra-se este mandato ao senhorio humano: "tenha ele domínio sobre os peixes do mar, sobre as aves dos céus, sobre os animais domésticos, sobre toda a terra e sobre todos os répteis que rastejam pela terra" (Gn 1.26).

Esse versículo indica que, como portadores da imagem de Deus, homens e mulheres devem governar a Terra com a finalidade de torná-la frutífera. Como Jesus nos ensinou, devemos orar: "venha o teu reino; faça-se a tua vontade, assim na terra como no céu" (Mt 6.10). E, até certo ponto, devemos ser agentes da vontade celestial de Deus — de seu domínio — na terra. Nesse sentido, podemos dizer que o homem representa Deus ao exercer sua autoridade sobre todas as coisas vivas. O homem foi feito regente de Deus sobre a criação. Fomos projetados para carregar a imagem de Deus no mundo, implementando a sua vontade.

Somos um reflexo da justiça original

Além disso, a criação do homem à imagem de Deus reflete a justiça original de Adão. Ou seja, o primeiro homem foi criado sem pecado (embora tivesse a capacidade de pecar). Por isso o Novo Testamento se refere a Adão como "filho de Deus" (Lc 3.38); ele era o portador da imagem de Deus com a glória da justiça. Quanto perdemos pelo pecado! Contudo, os homens cristãos, renascidos pela graça de Deus, são declarados santos — não no sentido de serem perfeitos, mas no sentido de serem separados para Deus, como Adão foi no jardim antes do pecado. Nesse sentido, como já assinalei, aqueles que foram salvos por Cristo têm a capacidade e o chamado para representar Deus para o mundo de um modo que as pessoas não salvas não o fazem.

A vocação dos cristãos para revelar a Deus

Compreender essas três maneiras pelas quais carregamos a imagem de Deus nos capacita a levar uma vida de obediência, enquanto procuramos realizar nosso chamado para representar Deus diante do mundo.

Paulo fala de nossa nova natureza em Cristo sendo refeita "para o pleno conhecimento, segundo a imagem daquele que o criou" (Cl 3.10). O contexto para essa afirmação é a exortação de Paulo para que os cristãos abandonem seus pecados: "ira, indignação, maldade, maledicência, linguagem obscena do vosso falar" (Cl 3.8). Ele acrescenta: "Não mintais uns aos outros, uma vez que vos despistes do velho homem com os seus feitos" (3.9). Em suma, a maneira mais genuína de levarmos a imagem de Deus é pela justiça prática que nos capacita a uma semelhança cada vez maior com Deus em nossas atitudes e conduta. "Sereis santos, porque eu sou santo", diz Deus (Lv 11.44), definindo, de forma sucinta, a dimensão moral de carregar sua imagem.

Um homem cristão deve conhecer e glorificar a Deus em uma vida que é organizada em torno de seu trabalho (capítulo anterior), de si mesmo (este capítulo) e de seus relacionamentos (capítulos seguintes). Somos chamados a carregar a imagem de Deus como seu povo redimido; o que poderia ser mais empolgante? Portanto, as grandes questões de nossas vidas não são o acúmulo de fortunas pessoais (que passarão para outros depois de nossa morte), nem o ato de desfrutar ao máximo o prazer e a diversão (trocando a adoração a Deus pela adoração a si mesmo), tampouco o acúmulo de poder terreno (que certamente perderemos no final). A maior questão de nossas vidas é revelar a glória de Deus a um mundo obscurecido pelo pecado, de modo que ele seja louvado e os pecadores perdidos sejam salvos através do conhecimento do Senhor. O grande propósito de nossas vidas é revelar a glória e a graça de Deus tanto pelo que fazemos como pelo que somos.

Revelando Deus pelo que fazemos

Faz uma grande diferença quando um homem cristão percebe que não precisa ser um piloto de caça, uma estrela de cinema ou um atleta profissional para ter uma vida de importância e valor. O mundo quer nos fazer acreditar que realmente não somos ninguém, a menos que façamos algo que obtenha a aprovação mundana e produza excitação mundana. Infelizmente, conheci muitos homens cristãos que viam a si mesmos como perdedores porque nunca foram heróis de guerra, estrelas dos esportes ou gigantes corporativos. Contra esse modo de pensar (na verdade, essa idolatria), apresento o caso de Lawrence Dow, servo de Cristo.

Conheci Lawrence Dow na noite de minha conversão à fé em Cristo. Ele era um diácono na Tenth Presbyterian Church na Filadélfia e, naquele dia, ele cumprimentava à porta antes do culto da noite. Lembro-me de como seu comportamento alegre me fez sentir aceito e bem-vindo. Durante os anos que se seguiram, conheci Lawrence muito bem e sua foto agora está em uma estante em frente à minha mesa. Ele me faz lembrar o que um homem humilde pode fazer para revelar a glória e a graça de Deus ao mundo.

Para falar sobre Lawrence, só preciso descrever seu funeral, ao morrer depois de uma longa luta contra o câncer. Bem antes do horário programado para o início do culto, o templo de nossa igreja estava lotado e havia problemas para estacionar em todo o bairro, no centro da Filadélfia. As pessoas devem ter-se perguntado se o presidente estava na cidade ou se alguém importante — como um político ou um CEO — havia morrido e estava sendo enterrado. Não, era apenas Lawrence, um velho e animado afro-americano, que nunca teve uma boa educação formal, trabalhava como porteiro em um hotel no centro da cidade e morava com a família no que outras pessoas chamam de gueto.

O serviço fúnebre de Lawrence não estava apenas lotado; também foi longo. Umas após outras, muitas pessoas vieram dar testemunho de como Lawrence fora usado por Deus em suas vidas. Algumas pessoas haviam chegado à fé em Cristo por meio de Lawrence e, então, foram mentoreadas por ele em seu crescimento cristão inicial. De fato, três pastores diferentes falaram sobre como Lawrence os levara a Cristo e os encorajara em seu serviço ao Senhor. Os filhos e os netos de Lawrence falaram de seu legado de fé e amor em suas vidas. Todo o culto foi bastante impactante.

Mais tarde, eu estava sentado no escritório de um de meus colegas pastores na igreja. Nós dois estávamos impressionados com o que havíamos visto, embora ambos conhecessem Lawrence muito bem. O funeral fora uma experiência gloriosa e nós estávamos maravilhados. Depois de vários minutos de silêncio, meu amigo me disse: "Isso serve para mostrar o que Deus pode fazer na vida de qualquer homem que se entrega sem reserva a Jesus". Isso é exatamente o que a vida de serviço humilde e piedoso de Lawrence mostra, e sua história deve encorajar-nos a encontrar nosso significado em revelar a glória e a graça de Deus através do que praticamos como homens cristãos.

Então, o que Lawrence Dow fez e o que devemos fazer como portadores da imagem de Deus neste mundo? Uma resposta é que Lawrence era totalmente dedicado ao trabalho do evangelho. Ele olhava para o mundo e para as pessoas através de uma lente bíblica. Ele não via ricos ou pobres, negros ou brancos, altos ou baixos. Ele via pecadores que precisavam ser salvos. Ele via pessoas quebradas pela culpa que precisavam ouvir sobre o perdão. Ele via pessoas enfraquecidas na escravidão do pecado que precisavam da força do Senhor. Ele se dedicou ao ministério dessas coisas: salvação pela fé em Jesus, perdão através da mensagem do evangelho de Cristo, força espiritual através da oração e da Palavra de Deus. Lawrence tinha tempo para os assuntos espirituais, e essas eram as coisas que despertavam seu interesse. Ele se concentrou no ministério da verdade e no amor cristão pelas pessoas que Deus trazia à sua vida.

Então, o que isso significa para o cristão comum? Significa que você precisa entrar no jogo — não em uma partida de esporte na televisão, mas na disputa verdadeira e real por almas que está acontecendo ao seu redor. Isso significa que você deve devotar-se a fortalecer a própria fé e se aproximar de Deus para que possa ser usado para fortalecer outras pessoas. Isso significa que você deve estar envolvido em sua igreja, empregando os dons que o Senhor lhe deu. Isso significa que você deve estar pronto e aberto para ser uma bênção espiritual para as pessoas que Deus trará para sua vida. Isso significa que, quando encontrar alguém que esteja desanimado, você deve encorajá-lo com a verdade da Palavra de Deus. Isso significa que, quando encontrar alguém que se sinta confuso, você deve andar ao seu lado para indicar o caminho a seguir. Isso significa que você deve começar a perceber não apenas onde as pessoas estão na hierarquia, mas o que está acontecendo com elas como indivíduos, e então ministrar a verdade do evangelho e o amor cristão a elas, como pessoas que precisam de graça.

Deixe-me dar alguns exemplos de como cristãos comuns podem revelar a glória de Deus ao mundo. Digamos que alguém se mude para seu bairro. Essa é uma oportunidade de mostrar

Cristo. Comece a orar por essa pessoa e aproveite as oportunidades para se aproximar dela. Talvez chamar o cara novo (ou toda a sua família) para uma refeição e ver o que o Senhor pode fazer com isso. Talvez nada aconteça a princípio, mas ele saberá que você é um cristão atencioso, e quando reconhecer suas necessidades espirituais, poderá procurá-lo. Ou talvez ele aceite seu convite para visitar sua igreja e chegue à fé em Cristo, quando, então, você poderá encorajá-lo em seu crescimento.

Aqui está outro exemplo. Digamos que você tenha um amigo que esteja fazendo algumas escolhas ruins. Em vez de ficar parado sem fazer nada, você pode aproximar-se desse amigo e expressar sua preocupação, oferecendo-se para encontrá-lo para orar e estudar a Bíblia. De novo, ele pode rejeitá-lo. Porém, com frequência, essa pessoa louvará a Deus pelo fato de alguém haver notado sua necessidade de amizade e ajuda. Então, você pode encorajá-lo em seus momentos de fraqueza e necessidade; e, ao agir assim, você faz uma diferença decisiva em sua vida, lembrando-o do amor de Deus. Ao agir assim, você está espelhando a imagem de Deus para ele e ministrando a glória de Deus neste mundo.

Todo homem cristão é chamado, de alguma forma, a se envolver na obra de Deus. Gosto de pensar nisso como entrar nos "negócios da família". Quando o mundo foi criado, Deus chamou Adão para entrar em seu trabalho, tornando o jardim original mais frutífero e espalhando seu fruto pelo mundo. Em nossos dias, a obra de Deus neste mundo é a obra de seu evangelho, a difusão de sua graça salvadora na vida dos pecadores perdidos.

Jesus disse quando os fariseus duvidaram dele: "as obras que o Pai me confiou para que eu as realizasse, essas que eu faço testemunham a meu respeito de que o Pai me enviou" (Jo 5.36). Você vê o objetivo do Senhor aqui? Jesus disse que estava revelando a verdade sobre Deus ao fazer as obras que seu Pai o enviara para fazer, a saber, o ministério da verdade do evangelho e do amor neste mundo. Da mesma forma, como servos de Jesus, devemos entrar nessa obra graciosa e, como resultado, seremos atraídos para mais perto em nosso próprio relacionamento com Deus e mostraremos a glória de Deus ao mundo. Embora sejamos pessoas pequenas e insignificantes aos olhos do mundo — como Lawrence Dow certamente era —, podemos levar uma vida de significado marcante, revelando a imagem de Deus através de nosso trabalho pelo evangelho em nome de Cristo.

Revelando Deus por quem somos

Tenho muitos versículos bíblicos preferidos, mas um que especialmente me inspira é 2 Coríntios 3.18, em que Paulo escreve: "E todos nós, com o rosto desvendado, contemplando, como por espelho, a glória do Senhor, somos transformados, de glória em glória, na sua própria imagem, como pelo Senhor, o Espírito".

Essa seção de 2 Coríntios se refere à experiência que Deus teve com Moisés e, nessa passagem em particular, somos lembrados de que temos um privilégio maior do que o de Moisés. Ainda mais importante: temos uma compreensão mais completa da obra consumada de Jesus, o Messias, e do que significa ser salvo. Esse versículo identifica uma operação particular de nossa salvação que Moisés não pôde desfrutar.

Após passar um tempo com Deus no monte Sinai, Moisés usou um véu sobre o rosto ao se encontrar com os israelitas, por causa do poder da glória de Deus que brilhava em sua face. Com o tempo, porém, essa glória desapareceu. No entanto, sob a nova aliança, essa dinâmica é, na verdade, invertida. Assim como Moisés, contemplamos a glória de Deus na luz de sua Palavra. Mas, ao contrário de Moisés, a glória de Deus em nós só faz aumentar, pois, gradativamente, "somos transformados, de glória em glória, na sua própria imagem". Deus está trabalhando sua própria glória crescentemente em nós, palmo a palmo, e está fazendo isso pelo ministério do Espírito Santo, que Deus enviou para nos tornar cada vez mais santos.

Uma das coisas mais empolgantes em minha vida é meu crescimento em santidade, a *santificação*, que a Bíblia identifica como a glória de Deus em mim. Olho para o homem que eu era há dez anos e, conquanto ainda reste muito espaço para melhorar, posso ver como Deus vem trabalhando. De fato, eu me envergonho um pouco do homem que eu era há dez anos, e estou ansioso para daqui a dez anos ficar um pouco envergonhado do homem que sou hoje. É emocionante ver que Deus está trabalhando em mim com o poder de seu Espírito Santo, a fim de me tornar cada vez mais parecido com ele. O que eu sou agora não é tudo o que há — louvado seja o Senhor! Há uma glória crescente à minha frente, pois Deus opera em mim por meio de sua Palavra e da oração pela força de seu poderoso Espírito.

O Novo Testamento diz que os cristãos devem ser "conformes à imagem de seu Filho, a fim de que ele seja o primogênito entre muitos irmãos" (Rm 8.29). Como isso acontece? Como somos transformados de um grau de glória para outro? A Bíblia identifica três recursos principais, chamados "meios de graça", que Deus prometeu como bênçãos na vida de homens e mulheres crentes, para que possamos crescer espiritualmente. São eles: a Palavra de Deus, a oração e os sacramentos. Para crescer na semelhança de Cristo e desfrutar mais as bênçãos da salvação, os cristãos devem fazer uso devotado desses meios de graça.

Transformação pela Palavra de Deus. A prioridade do estudo pessoal da Bíblia é vista na primeira exortação de Paulo em sua mais longa carta, Romanos: "E não vos conformeis com este século, mas transformai-vos pela renovação da vossa mente, para que experimenteis qual seja a boa, agradável e perfeita vontade de Deus" (Rm 12.2). Não há realmente nenhum substituto para a prática regular de se encontrar com Deus em sua Palavra, para ser ensinado por ele e meditar em sua gloriosa verdade. O primeiro salmo declara que, quando um homem se deleita na Palavra de Deus, meditando nela diariamente, torna-se "como árvore plantada junto a corrente de águas, que, no devido tempo, dá o seu fruto, e cuja folhagem não murcha; e tudo quanto ele faz será bem-sucedido" (Sl 1.3). Poucas coisas impactarão mais poderosamente um homem do que uma vida de devoção séria à Bíblia, mediante a qual a Palavra vivificadora de Deus ilumina nossas mentes e corações (Sl 19.7-11). Jesus enfatizou o compromisso com as Escrituras nos termos mais urgentes possíveis: "Se vós permanecerdes na minha palavra, sois verdadeiramente meus discípulos; e conhecereis a verdade, e a verdade vos libertará" (Jo 8.31-32).

Transformação pela oração. Uma vida comprometida com a oração é igualmente essencial para o crescimento espiritual de todo homem. É praticamente impossível encontrar um homem muito usado por Deus que não seja fortemente dedicado à oração. Esse meio da graça nos é especialmente vital para que possamos receber o poder de Deus e, assim, mudar nossos corações e remover os vestígios do pecado. Isso era o que Jesus tinha em mente quando prometeu que "todo o que pede recebe; o que busca encontra; e a quem bate, abrir-se-lhe-á" (Lc 11.10). Jesus não estava falando aqui de orações por nossos times do coração. Antes, ele estava se referindo ao poder de Deus que está prontamente disponível aos crentes que buscam a graça para se afastar do pecado e para crescer em caráter piedoso. É por isso que Jesus concluiu o ensinamento dizendo: "quanto mais o Pai celestial dará o Espírito Santo àqueles que lho pedirem" (Lc 11.13). Quando abrimos nossos corações ao Senhor em oração, desejando ser mais parecidos com Cristo e pedindo-lhe que nos mostre áreas que necessitam de santificação, Deus é fiel em prover o poder espiritual necessário para nos fazer crescer na graça.

Ainda que sob o risco de me expor demais, deixe-me compartilhar uma experiência do início da minha vida cristã. Nos meus dias de Exército, adquiri o hábito desagradável de mascar tabaco. Em parte, comecei a mascar porque precisava de estímulo para as exigências físicas do serviço militar, especialmente os diversos dias sem dormir que os comandantes costumam enfrentar. Eu também tinha a ideia tola de que mascar tabaco era algo masculino e legal. Aos trinta anos, idade em que fui convertido à fé em Cristo, eu estava seriamente viciado. Alguns anos mais tarde, Deus me chamou para o ministério e, então, deixei o Exército para ir para o seminário. No entanto, eu ainda mascava tabaco quando era aluno do seminário.

Afetado pela realidade de que esse vício tinha grande poder sobre mim, ciente dos riscos para a saúde e querendo evitar o constrangimento de ser um pregador viciado, empreguei toda a minha força de vontade para abandonar o tabaco.

Eu conseguia parar repentinamente e ficar semanas sem mascar. No entanto, cedo ou tarde, em um momento de fadiga, frustração ou comodismo, eu parava meu carro no estacionamento da loja de conveniência e, alguns minutos depois, eu saía dali sentindo-me culpado por ter comprado mais tabaco. Logo ficou claro para mim que, sozinho, eu simplesmente não conseguiria parar de vez. A nicotina estava na minha carne, não apenas como um vício físico, mas como uma necessidade moral. Eu a adorava, embora também a odiasse, e simplesmente não podia me forçar a deixá-la para trás.

É claro que, graças ao pecado interior que recebemos por cortesia de Adão (como se você ou eu pudéssemos ter feito algo melhor), problemas com pecados profundamente enraizados são tragicamente comuns, mesmo entre os homens cristãos. O que devemos fazer quando temos um problema que não conseguimos vencer? Você não tem um problema assim? Talvez seja raiva, inveja, orgulho, preguiça, luxúria ou pornografia. Conseguimos nos tornar semelhantes a Cristo apenas por nossa força de vontade? Não! Somos simplesmente muito fracos e o pecado é muito forte. Falta-nos o poder para superar nossa carne por nós mesmos — mesmo como crentes, e até mesmo com a Palavra de Deus em nossos corações.

Então, o que podemos fazer quando admitimos que somos escravos de um pecado específico? Como filhos amados de Deus pela fé em Cristo, podemos nos dirigir ao Senhor em oração. E foi isso que eu fiz, por fim. "Senhor, sei que você deseja que eu pare de usar tabaco", orei. "Mas não tenho o poder para fazer isso. Em nome de Cristo, podes me livrar desse vício? Peço-te que enfraqueça meus maus desejos e me dê forças para resistir de vez. O Senhor pode me libertar de uma vez por todas para que eu possa ser mais parecido com Jesus?" É assim que devemos orar no que se refere a toda escravidão do pecado em nossos corações. Orações assim são um meio de graça essencial para que possamos nos libertar do pecado e crescer na semelhança com Cristo.

É precisamente esse tipo de cenário que o Novo Testamento considera quando ensina: "se pedirmos alguma coisa segundo a sua vontade, ele nos ouve" (1Jo 5.14). Quando se trata de orar contra o pecado, a vontade de Deus não é mistério. Ele nos disse que sua agenda é nossa semelhança com Cristo, pois Paulo diz simplesmente: "Pois esta é a vontade de Deus: a vossa santificação" (1Ts 4.3). Sabemos, portanto, acima de qualquer dúvida, que, quando oramos por maior santificação, estamos orando de acordo com a vontade de Deus. Quando pedimos ao Senhor graça para que sejamos mais parecidos com Cristo, podemos estar absolutamente certos de receber essa graça.

Foi assim que Deus me livrou do vício de mascar tabaco. Deus não me capacitou apenas para lidar com esse vício. Em vez disso, no período em que ele me chamou para ser persistente na oração, o Senhor removeu o vício. Essa foi uma experiência de aprendizado marcante para mim. Desde então, orei por diversas questões de santificação pessoal e experimentei o poder de Deus operando através do Espírito Santo, capacitando-me a crescer em graça e piedade. A fala de Tiago sobre oração é verdadeira especialmente no que diz respeito aos recursos espirituais para o crescimento na graça: "Nada tendes, porque não pedis" (Tg 4.2). Pois Jesus prometeu: "quanto mais o Pai celestial dará o Espírito Santo àqueles que lho pedirem" (Lc 11.13).

Transformação pelos sacramentos. Finalmente, o Senhor deu o sacramento do batismo e, especialmente, o sacramento recorrente da Ceia do Senhor (Comunhão) como meio de graça. Jesus instituiu a Ceia do Senhor como uma ordenança perpétua para seus discípulos até que ele volte, dizendo: "fazei isto em memória de mim" (Lc 22.19). A Ceia do Senhor não funciona por alguma mágica na fórmula das palavras ou nos elementos em si; o fato é que o Espírito Santo fortalece a fé daqueles que têm comunhão com Jesus, quando recebemos os elementos que significam a sua morte por nossos pecados. "Porventura", diz Paulo, "o cálice da bênção que abençoamos não é a comunhão do sangue de Cristo? O pão que partimos não é a comunhão do corpo de Cristo?" (1Co 10.16). Nossa participação é espiritual, e não material, mediante a fé na Palavra de Deus e pelo poder do Espírito Santo, que nutre nossa fé quando comungamos com Cristo.

A promessa da vitória final

Ao dispormos desses três meios de graça, Deus nos libertará rapidamente de alguns pecados persistentes. A libertação de outros pode demandar um tempo consideravelmente maior. Sem dúvida, alguns pecados estarão conosco até a morte, pois nenhum homem alcança a perfeita santidade nesta vida (Fp 3.12). Mas é maravilhoso que, quando nos erguermos desses corpos mortais para estar com o Senhor para sempre, deixaremos para trás todas as áreas remanescentes de corrupção. O processo gradual de sermos libertos do pecado nesta vida, que é nosso chamado em Deus, será coroado no dia de nossa morte com essa vitória total, que será nossa em virtude de estarmos em Cristo. O dia da nossa morte será aquele em que cometeremos nosso último pecado; mas, até lá, nosso chamado e nosso destino em Cristo é nos tornarmos cada vez mais santos, à medida que formos crescendo no conhecimento de Deus e na prática da piedade.

Não pode haver chamado ou privilégio maior nesta vida do que cooperarmos com Deus para que sejamos cada vez mais conformados à sua imagem. E há mais um benefício: quando crescemos em piedade e graça, preparamo-nos para as glórias que serão nossas na eternidade pela nossa fé em Jesus. Como Paulo gostava de dizer: "A ele, pois, a glória eternamente" (Rm 11.36; 16.7; Gl 1.5; Ef 3.21; Fp 4.20; 1Tm 1.17). Agora, o Senhor chama os homens cristãos para que vivam de tal maneira que nosso principal objetivo na vida seja glorificar a Deus e desfrutar seu conhecimento para sempre.

Questões para reflexão e discussão

- Quando você pensa na glória de Deus, o que vem à sua mente? Como a natureza revela a glória de Deus? De que maneira o homem é especialmente criado para exibir a glória de Deus?
- Como o desígnio original de Deus permitiu que Adão carregasse sua imagem? Como o pecado nos impediu de glorificar a Deus como deveríamos? Como a graça de Cristo nos permite glorificar a Deus?
- Você acha que sua vida tem um significado real? Caso contrário, por que não? Por que o chamado de Deus para nós em Cristo torna nossa vida verdadeiramente significativa? Como Deus pode estar chamando você para ser mais ativo em espalhar a glória de sua verdade e graça em Cristo?

+ Se alguém perguntasse a dez pessoas que o conhecem bem, em que área elas diriam que você mais precisa de crescimento e aperfeiçoamento espiritual? Como você responderia a essa pergunta? Você já tentou melhorar através de seu próprio poder? Como você faria para buscar o poder de Deus a fim de capacitá-lo a avançar na semelhança com Cristo?

Capítulo 5
O homem como senhor-pastor

Este é o último capítulo de base doutrinária antes de prosseguirmos para a aplicação prática. Por isso, vamos fazer uma breve recapitulação do que aprendemos até agora sobre o modelo bíblico de masculinidade. Começamos a desenhar nossa imagem de masculinidade a partir dos capítulos iniciais de Gênesis e, até este ponto, observamos o seguinte:

- Deus fez o homem à sua própria imagem.
- Deus colocou o homem no jardim, no mundo dos relacionamentos pactuais de Deus.
- Deus colocou-o no jardim para que ele pudesse trabalhar e ser frutífero.
- Com esse propósito, Deus deu ao homem o mandato de cultivar e guardar — trabalhar e proteger.
- O objetivo final — o fim principal do homem — é que ele possa exibir a glória de Deus no mundo.

Ao afirmar esses pontos, notamos o chamado do homem ao domínio, ou seja, o chamado para exercer autoridade em nome de Deus no mundo. Isso não é nada menos que um chamado para exercer o senhorio.

O líder como senhor

Embora esse chamado tenha sido dado de forma geral ao homem e à mulher (Gn 1.26), vemos em Gênesis 2 que era um papel distinto do homem exercer o senhorio no mundo-jardim de Deus. Deus era o Senhor e Adão era o senhor (note a letra minúscula) a quem Deus colocou no jardim como seu representante. A melhor maneira de ver isso é observar como Deus concedeu a Adão o direito de dar nome às outras criaturas, considerando que nomear é atribuição do senhor:

> Havendo, pois, o SENHOR Deus formado da terra todos os animais do campo e todas as aves dos céus, trouxe-os ao homem, para ver como este lhes chamaria; e o nome que o homem desse a todos os seres viventes, esse seria o nome deles. Deu nome o homem a todos os animais domésticos, às aves dos céus e a todos os animais selváticos (Gn 2.19-20).

Observe como o Senhor trouxe todos os animais e pássaros até o homem, para que respondessem a Adão. Daquele ponto em diante, suas identidades refletiam o senhorio de Adão; eles carregavam os nomes que lhes foram atribuídos pela mais alta de todas as criaturas de Deus. Adão foi o servo ordenado por Deus como senhor do jardim, assim como os homens de hoje devem ser servos de Deus em seu exercício de autoridade. O *senhorio* — ou, como diríamos hoje, a *liderança* — é intrínseco ao chamado masculino no mundo.

Às vezes a palavra *senhorio* pode nos incomodar. Facilmente associamos a palavra a Deus (uma boa razão para o incômodo) ou a imagens de homens bem alimentados em castelos usando perucas pomposas e roupas estranhas. Mas

Deus chama todos os homens a exercer liderança (senhorio) em alguma esfera da vida — em casa, através do casamento e da paternidade, no local de trabalho, na igreja e na sociedade em geral. É algo da maior urgência que os homens entendam e assumam a ideia bíblica de liderança.

Liderança: uma crise e uma prioridade

Qualquer que seja o nome dado, parece óbvio que nossa sociedade enfrenta uma crise de liderança. Em geral, lideranças ousadas e exercícios de autoridade são recebidos com ceticismo, quando não com total desdém. Eu acredito que isso esteja acontecendo por dois motivos. Primeiro, em nosso orgulho pecaminoso, todos oferecemos alguma resistência ao sermos liderados, especialmente em um país como a América, onde a independência é altamente valorizada. Segundo, estamos todos familiarizados com líderes que usaram seu poder para enriquecer as próprias vidas, abusando daqueles que foram confiados a seus cuidados, em vez de abençoá-los. Alguns líderes empresariais se revelaram autênticos canalhas egoístas, razão pela qual nossa tendência é ver todos os outros da mesma maneira. Líderes políticos são amplamente percebidos, com ou sem razão, como tendo sido comprados por interesses financeiros. Como tantos homens não conseguem comportar-se de maneira honrada e bíblica, as mulheres podem tornar-se céticas em relação a todo o gênero masculino. Certamente, poucos de nossos heróis culturais hoje são líderes no sentido bíblico — aqueles que servem e influenciam seus seguidores, conduzindo-os para algum bem maior.

Há, portanto, uma necessidade urgente e vital em nosso mundo atual de homens que sejam líderes no verdadeiro sentido da palavra. As Escrituras fornecem bons exemplos para nos inspirar e preceitos para nos guiar em nossa busca por nos tornar senhores sob o senhorio maior de Deus, líderes que são servos de Deus e de seu povo querido. Deus concede tal liderança como meio para abençoar a terra. Ele é fiel em prover líderes servos assim para seu povo, e ele chama os homens cristãos para que exerçam o senhorio em seu nome (Ef 4.11-13; 1Pe 5.1-5). Nós vamos atender a esse chamado? Como Davi cantou no final de sua vida: "Aquele que domina com justiça sobre os homens, que domina no temor de Deus, é como a luz da manhã, quando sai o sol, como manhã sem nuvens, cujo esplendor, depois da chuva, faz brotar da terra a erva" (2Sm 23.3-4).

O líder como pastor

Se há uma imagem na Bíblia que resume o modelo de liderança de Deus, é a do pastor que vigia, protege e guia seu rebanho de ovelhas. Encontramos essa ideia desde os primeiros dias do povo de Deus. Embora a Bíblia não nos diga que Adão se tornou pastor, nós o vemos em Gênesis 2 como o senhor dos animais, e seu primeiro filho piedoso, Abel, é identificado especificamente como "pastor de ovelhas" (Gn 4.2).

Abraão, Isaque e Jacó eram todos pastores, e Moisés "apascentava o rebanho de Jetro, seu sogro" quando viu a sarça ardente e foi chamado por Deus para liderar Israel (Êx 3.1). Moisés orou: "O Senhor [...] ponha um homem sobre esta congregação que saia adiante deles, e que entre adiante deles, e que os faça sair, e que os faça entrar, para que a congregação do Senhor não seja como ovelhas que não têm pastor" (Nm 27.17). O líder ideal do Antigo Testamento, o rei Davi

— com quem temos muito a aprender —, era famoso como o rei-pastor de Israel. Salmos 78.72 diz de Davi: "ele os apascentou consoante a integridade do seu coração e os dirigiu com mãos precavidas". E o que é mais importante ainda: Jesus se valeu dessa imagem bíblica para retratar seu próprio senhorio de serviço: "eu sou o bom pastor" (Jo 10.11). Assim, ao longo de toda a Bíblia, do começo ao fim, o modelo de senhorio de serviço de Deus é o do líder-pastor.

O verdadeiro líder-pastor desempenha seu papel de um modo que evoca sentimentos de segurança entre aqueles que são liderados. Um pastor assim mora entre as ovelhas, identificando-se com elas em seu coração e compartilhando suas dificuldades, riscos e perigos. Talvez o mais importante seja a maneira radical como o pastor olha para suas ovelhas. Hoje, estamos acostumados com líderes que usam seus seguidores, buscando apenas os ganhos pessoais ou organizacionais do rebanho. Mas a atenção e a paixão de um verdadeiro pastor são direcionadas para o bem-estar das próprias ovelhas. As ovelhas são sua preocupação, seu fardo e sua alegria. É claro que um líder é responsável por garantir que seu pessoal trabalhe duro e bem, e a realidade financeira pode exigir que uma empresa reduza sua força de trabalho. Mas, dentro dos limites e das contingências organizacionais, um verdadeiro líder é dedicado ao seu rebanho, e eles sabem disso. Por isso o jovem Davi, ao vigiar seus rebanhos à noite, regozijou-se com o pensamento de que o Senhor era seu próprio pastor: "O Senhor é o meu pastor; nada me faltará" (Sl 23.1).

O líder-pastor se desgasta no trabalho sacrificial em benefício de suas ovelhas. É quando as ovelhas crescem fortes, quando o rebanho sobrevive aos perigos de sua jornada, retornando à aldeia após passar de cordeiro para forte carneiro, que o pastor cumpre fielmente seu dever. Certamente, as ovelhas precisam ser motivadas a continuar em movimento e, algumas vezes, devem ser punidas, para que fiquem longe de problemas. Mas as próprias ovelhas é que ocupam os pensamentos do pastor quando ele está caindo de sono à noite, e é por elas que seus olhos procuram quando a primeira luz sinaliza um novo dia. O pastor é o servo das ovelhas; assim, o crescimento e a nutrição delas é o que define a agenda de seu sucesso.[9]

O caminho para os homens cristãos deixarem um legado duradouro é abraçar o modelo bíblico de liderança pastoral. Nosso objetivo deve ser não apenas conquistar sucesso para nós mesmos, mas também deixar uma marca abençoada na vida daqueles que estão sob nossos cuidados. E isso só pode acontecer quando nós, na condição de pastores, estamos prontos para dar a vida pelas ovelhas, como Jesus, nosso Bom Pastor. Ele disse: "o bom pastor dá a vida pelas ovelhas" (Jo 10.11). Os líderes cristãos devem, igualmente, aprender a medir o sucesso pela segurança e a inspiração daqueles que os seguem, pelo crescimento de sua confiança e habilidade, e pelas conquistas de outras pessoas, e não pelas suas próprias. Perto do fim de sua vida, o apóstolo João escreveu dessa maneira, dizendo: "Não tenho maior alegria do que esta, a de ouvir que meus filhos andam na verdade" (3Jo 4).

A liderança pastoral e o mandato masculino

Não é surpresa que o modelo de líder como pastor se encaixe à perfeição no Mandato Masculino de Gênesis 2.15. Deus colocou

---

9 O material desta seção foi extraído do meu livro *The Heart of an Executive* (New York: Doubleday, 1999), 5-7.

Adão no jardim para *cultivá-lo* — para fazê-lo crescer — e os pastores são líderes que nutrem e inspiram o coração daqueles que os seguem. Deus também chamou Adão para *guardar* o jardim — para protegê-lo — e é o líder-pastor que protege os que estão sob sua responsabilidade, mantendo um olho sempre no rebanho e o outro atento aos predadores. A boa liderança pastoral, então, sempre se assemelhará ao senhorio de serviço de Adão quando o rebanho, tal qual um jardim, cresce e produz frutos de todos os tipos sob a proteção vigilante do pastor.

O tributo de Davi à liderança pastoral de Deus no Salmo 23 apresenta os componentes desse papel em detalhes inspiradores. "O Senhor é meu pastor", alegra-se ele; "nada me faltará" (v. 1). O salmo continua como um esboço do tipo de cuidado pastoral que Deus provê e que ele espera daqueles que exercem autoridade em seu nome. Ao refletir sobre o ministério de um pastor às ovelhas, Davi vê uma descrição do ministério de Deus em relação a ele — e nosso chamado para a liderança pastoral — como incluindo três tarefas principais: conduzir (ecoando o chamado de Adão para cultivar o jardim), proteger e cuidar (ecoando o chamado de Adão para guardá-lo).

Cultivar: Pastoreio como condução

Quando Davi se alegra, "nada me faltará", é, em grande medida, por causa da condução que ele recebe de Deus: "ele me faz repousar em pastos verdejantes. Leva-me para junto das águas de descanso [...] Guia-me pelas veredas da justiça por amor do seu nome" (Sl 23.2-3). Para as ovelhas, é claro, a vida se resume a terrenos de pastagem seguros e viçosos, aos quais possam chegar e de lá sair em segurança, contando com água fresca nas proximidades. O pastor não encontra esses locais acidentalmente. Ele deve estudar o terreno e procurar as rotas mais seguras para os melhores pastos. De forma semelhante, um líder-pastor de uma família, igreja ou empresa deve ser capaz de indicar a seus seguidores a direção certa e guiá-los com segurança.

Esse tipo de condução segura requer competência em qualquer empreendimento que se esteja buscando. Um jovem oficial de tanques, por exemplo, pode ser um comandante cuidadoso, mas isso significará pouco se ele não for também competente em tática e nas inúmeras tarefas necessárias para desempenhar seu papel. A liderança eficiente sempre requer que o líder se dedique a adquirir a competência necessária para guiar seu rebanho em particular. A competência mais necessária a qualquer líder é o conhecimento da verdade de Deus na Bíblia. Como pode um pai e marido, por exemplo, orientar sua família sem o conhecimento do ensino bíblico sobre casamento, criação de filhos, administração de dinheiro, serviço na igreja e muito mais?

Referindo-se a uma das principais formas de orientação no antigo Israel, o sábio disse: "Não havendo profecia, o povo se corrompe; mas o que guarda a lei, esse é feliz" (Pv 29.18). Com efeito, quando os líderes são muito preguiçosos ou egoístas para aprender e aplicar a verdade, o lamento da Bíblia se torna real: "estavam aflitas e exaustas como ovelhas que não têm pastor" (Mt 9.36).

Para ser bem-sucedido como líder-pastor, o homem deve dominar as habilidades necessárias — e a principal delas é o estudo da verdade da Palavra de Deus.

Guardar: Pastoreio como proteção

Davi também observa o valor do domínio protetor do pastor sobre as ovelhas, particularmente à sombra do perigo:

"Ainda que eu ande pelo vale da sombra da morte, não temerei mal nenhum, porque tu estás comigo" (Sl 23.4). Isso nos faz lembrar que a verdadeira liderança é sempre pessoal. É a presença de um indivíduo — seu pastor protetor — que dá confiança a Davi, apesar do perigo iminente. O pastor não permitirá que nenhuma ameaça ou adversidade o derrube nem anule as bênçãos já recebidas.

Podemos imaginar um bando de ovelhas assustadas passando por um desfiladeiro escuro, com penhascos e pedras que poderiam esconder um lobo à espreita. Ao menor som, as ovelhas recuam apreensivas, incapazes de seguir em frente, até que seu olhar repousa sobre a reconfortante figura do pastor. Sua presença pessoal, vigiando-as e protegendo-as, deixa as ovelhas seguras, acalmando-as e fazendo-as avançar, confiantes em seu cuidado vigilante. As ovelhas podem seguir em frente com uma sensação de conforto porque têm confiança de que seu pastor vai preservá-las e protegê-las.

A presença do pastor inclui os inconfundíveis símbolos de sua autoridade, com os quais ele protege seu rebanho: "o teu bordão e o teu cajado me consolam" (Sl 23.4). Essas eram as ferramentas de trabalho do pastor e os emblemas de sua posição. O objetivo do cajado longo com a ponta curvada era segurar pescoços rebeldes, fazendo os animais retomarem o caminho seguro, para que não se ferissem. Simbolizava a autoridade de liderança dada ao pastor. Os seguidores esperam, com razão, que os líderes apliquem regras adequadas e sejam referência de comportamentos piedosos. De fato, especialmente em tempos de dificuldade e perigo, as ovelhas/os seguidores são consolados por um pastor confiável que exerce fielmente autoridade protetora, mantendo, assim, a ordem dentro do rebanho.

O propósito do bordão — uma arma curta e rude usada para afastar predadores agressivos — era proteção de maneira mais vigorosa. Assim como as ovelhas eram consoladas ao ver o pastor com seu bordão, hoje homens e mulheres esperam que os líderes fiéis exerçam o ofício dado por Deus para proteger e defender. Portanto, o que era verdade para as ovelhas é verdade para todos nós agora: "o teu bordão e o teu cajado me consolam".

Cultivar e guardar: pastoreio como cuidado

Na conclusão do Salmo 23, há uma notável mudança na linguagem de Davi. Começando no versículo 5, no qual olha com gratidão a Deus, para as bênçãos que nos esperam no céu, Davi deixa a metáfora das ovelhas e fala mais diretamente das necessidades e bênçãos humanas. Podemos resumir seu louvor final ao Senhor como envolvendo o ministério de cuidado de Deus — liderança que une cultivar e guardar. Nesses versos finais, encontramos Davi enfatizando provisão, aceitação, bênção e pertencimento.

Provisão e aceitação. Em primeiro lugar, Davi descreve o cuidado de Deus por meio de uma metáfora vívida: "preparas-me uma mesa na presença dos meus adversários" (Sl 23.5). A ideia de uma mesa — compartilhar uma refeição — envolve a provisão de alimento em um contexto de aceitação indistinta. Quando o Senhor abre sua mesa para nós, que fomos convidados para sua casa, somos graciosamente aceitos e recebemos sustento. Como senhores-pastores que procuram imitar nosso Pai, devemos, antes de tudo, aceitar plenamente aquelas ovelhas que Deus nos chamou para liderar e assegurar que estejam cientes desse fato.

Bênção. Davi, então, acrescenta: "unges-me a cabeça com óleo; o meu cálice transborda" (Sl 23.5). Ao entrar em uma casa na Palestina seca e empoeirada, o óleo refrescante para o rosto e a cabeça era uma bênção típica. Assim também era a taça transbordante de vinho, refrescando a garganta seca do viajante. Em vez de seguir o estereótipo de masculinidade fria e machista, os homens cristãos devem buscar crescer na habilidade de abençoar, de forma genuína, os outros.

Pertencimento. Isso conduz ao versículo final do salmo: "Bondade e misericórdia certamente me seguirão todos os dias da minha vida; e habitarei na Casa do Senhor para todo o sempre" (Sl 23.6). Proporcionar um verdadeiro senso de pertencimento é um dos presentes mais atenciosos que qualquer líder pode dar a um seguidor. Isso é especialmente verdadeiro quando nosso testemunho do evangelho conduz as pessoas à bênção eterna de pertencimento como membros da casa de Deus.

Pastoreio como autossacrifício

No Salmo 23, somos lembrados da razão última para manter as ovelhas em segurança: Deus tem um destino para nós. É um lugar de bênção, provisão e aceitação, um lugar ao qual pertencemos, permanente e irrevogavelmente. A certeza de que todo cristão verdadeiro habitará nesse lugar de infinita bondade e misericórdia deve encher nossos corações de alegria, porque tudo que Deus fez nos posicionou e nos preparou para desfrutá-lo para sempre. Antes de concluirmos este capítulo, devemos, portanto, olhar para o mais importante desses atos redentores de Deus, pois ele nos oferece o exemplo mais importante do que significa ser um senhor-pastor.

Ao olhar para Deus como seu pastor, Davi viu amor e autossacrifício, e se alegrou. Jesus, é claro, levou o amor divino e o autossacrifício à sua dimensão final. Ao antecipar sua morte na cruz para conduzir seu rebanho com segurança ao céu, ele disse: "O bom pastor dá a vida pelas ovelhas" (Jo 10.11). A obra sacrificial de Cristo na cruz é o ato definitivo de "guardar", porque nela os benefícios da bênção de Deus foram assegurados e a batalha foi vencida.

Assim como Deus chama os homens cristãos para que carreguem sua imagem diante do mundo, ele nos chama para imitá-lo como seus servos-senhores no mundo. Faríamos bem em prestar bastante atenção ao supremo Senhor-pastor, o próprio Cristo, em seu ato definitivo de serviço às suas ovelhas: sua morte na cruz. Pois, assim como o cuidado pastoral de Jesus fez com que ele desse sua vida, nossa liderança pastoral exigirá imenso sacrifício pessoal. Nossa recompensa? A rica satisfação de sermos grandemente usados por Deus na vida de suas ovelhas e, em graus variados, a "imarcescível coroa da glória" (1Pe 5.4), que Jesus preparou para todos que têm fielmente pastoreado o amado rebanho que ele comprou com seu próprio sangue.

Questões para reflexão e discussão

- O autor afirma que nossa época sofre com uma crise de liderança. Você concorda ou discorda? Como os homens cristãos podem fornecer uma resposta à crise de liderança de nossos tempos?
- Por que tantos dos grandes líderes da Bíblia eram pastores? O que a figura do pastor diz sobre a atitude de Deus

para com seu povo? Como você compararia a liderança pastoral com outras formas comuns de liderança atuais?
- Como você pode começar a praticar a liderança pastoral, independentemente de sua situação de vida? Quais são as maiores mudanças que isso exigirá em sua relação com outras pessoas?
- Você está preparado para servir como líder-pastor? Você tem a competência necessária para guiar outras pessoas? Você é capaz de exercer autoridade para orientar e proteger? Você está interessado no ministério de cuidado, como o que Jesus dá ao seu povo? De que maneira essa descrição de liderança o desafia a crescer?

Parte dois

Vivendo nosso mandato

Capítulo 6
O projeto maravilhoso de Deus para o casamento

Conhecer faz toda a diferença. Tome como exemplo as senhas de computador. Se você não conhece uma senha específica e não consegue encontrá-la, geralmente não há muito o que fazer. Conhecer também é vital para as instruções de direção. Faça uma curva errada, e você pode acabar perdido e desorientado em um lugar que nunca teve a intenção de visitar.

Como cristãos, estamos convencidos da importância de conhecer e acreditamos que as Escrituras contêm as coisas mais importantes que podem ser conhecidas. De fato, ter exata compreensão da verdade bíblica é essencial para o modo como vivemos. Neste capítulo, vamos começar a discutir algumas das mais práticas dessas verdades essenciais: aquelas que dizem respeito à instituição vital do casamento.

Como enfatizei neste livro, Gênesis 2 mostra que Deus criou o homem para um propósito. Deus ordenou que Adão carregasse sua imagem tanto em sua pessoa como em seu trabalho, e colocou Adão no mundo para cultivá-lo e guardá-lo — para ser cuidador e protetor. Esse mandato divino para os homens se aplica a todos os nossos papéis e relacionamentos, incluindo sermos pais para nossos filhos, amigos para outros homens e servos na igreja. Porém, antes de qualquer um desses, está o Mandato Masculino em sua aplicação na aliança do casamento, que Deus criou como base para toda a sociedade humana e que mais se assemelha ao nosso relacionamento com ele. Quando se trata de casamento, conhecer certamente faz toda a diferença.

O que os homens precisam conhecer sobre casamento? Se minha experiência como pastor e conselheiro serve de algo — experiência corroborada por quase todos os pastores com quem discuti esse tópico —, a melhor resposta é algo como: "bem mais do que eles conhecem agora". Pois, inquestionavelmente, há uma ignorância generalizada entre os cristãos, sobretudo entre os homens cristãos, a respeito do ensino da Bíblia sobre o casamento.

É, com frequência, surpreendente, às vezes, espantoso e, ocasionalmente, chocante ver como a maioria dos homens sabe tão pouco sobre casamento. Eu ouvi muitas vezes, especialmente de pessoas que se haviam divorciado anos antes: "Se ao menos eu tivesse percebido isso quando era mais jovem!". Embora todas as respostas básicas sobre casamento sejam dadas por Deus em Gênesis 2, parece que a maioria dos homens tem pouca ou nenhuma ideia do que o casamento envolve, de como foi projetado por Deus ou de qual é seu propósito em nossas vidas.

Se os homens não recebem orientação da Bíblia sobre o casamento, de onde, então, ela vem? Certamente há pouco valor a ser obtido da sociedade secular, que está desesperadamente confusa e enganada acerca da maioria das questões sobre relacionamentos. Mesmo na igreja, às vezes há poucos modelos que se aproximam do ideal bíblico. Por isso usarei três capítulos para explorar a vocação dos homens no casamento — uma das grandes vocações em toda a vida e o relacionamento no qual nosso Mandato Masculino tem sua expressão mais íntima e potente.

Criados incompletos

Ao longo de todo o relato bíblico da criação, lemos que aquilo que Deus criou "era bom". Após fazer tudo sozinho, Deus ficou satisfeito com tudo o que viu, declarando sete vezes em Gênesis 1 que tudo era "bom" ou "muito bom". De repente, porém, vemos que Deus percebeu algo que não era tão bom quanto deveria ser. Que coisa extraordinária! Deus olhou para sua criação e declarou que precisava de um aperfeiçoamento. O que estava errado? Não era uma falha no projeto da criação de Deus, nem algum engano ou fracasso da parte dele, mas algo que ainda estava incompleto. Deus olhou para o clímax de sua criação, o homem que carregava sua imagem, e declarou: *"Não é bom* que o homem esteja só" (Gn 2.18, ênfase acrescentada).

É aqui que começa o ensino da Bíblia sobre o casamento, com *a necessidade de o homem ter uma parceira*. Deus olhou para Adão no jardim, viu-o sozinho e disse: "Isto não é bom". Deus diz a mesma coisa sobre homens adultos solteiros hoje. Ele olha para seus apartamentos e geladeiras e suspira: "Isto não é bom". Ainda mais importante, Deus olha em nossos corações e personalidades, e diz: "Eu fiz o homem para estar em parceria com uma mulher. Um homem que permanece solteiro não funciona muito bem". Meu ponto não é repreender os homens adultos que são solteiros, mas simplesmente apontar a verdade da Palavra de Deus. Quando se trata do bem-estar físico, emocional, espiritual e sexual de um homem, não é bom que ele esteja só.

Após fazer essa observação, Deus imediatamente começa a transformar esse "não é bom" em um "muito bom" para Adão. Mas, em primeiro lugar, Deus quis mostrar uma coisa. E nós lemos o seguinte:

> Havendo, pois, o Senhor Deus formado da terra todos os animais do campo e todas as aves dos céus, trouxe-os ao homem, para ver como este lhes chamaria; e o nome que o homem desse a todos os seres viventes, esse seria o nome deles. Deu nome o homem a todos os animais domésticos, às aves dos céus e a todos os animais selváticos; para o homem, todavia, não se achava uma auxiliadora que lhe fosse idônea (Gn 2.19-20).

Que experiência deve ter sido para Adão! Todo tipo de criatura foi exibido diante dele para sua inspeção e nomeação (de modo a exercer seu senhorio sobre elas). Podemos imaginá-lo cavalgando o primeiro cavalo, duelando contra o primeiro leão, nadando com o primeiro golfinho e (o melhor de tudo, é claro) brincando com o primeiro cachorro. Para nomeá-los, Adão precisava estudá-los e, com base em sua experiência íntima, declarou os sons que acompanhariam cada tipo de criatura. Que emoção deve ter sido! No entanto, de acordo com o Senhor, em certo sentido, o exercício foi um grande fracasso: "para o homem, todavia, não se achava uma auxiliadora que lhe fosse idônea" (Gn 2.20).

Essa declaração afirma um ponto essencial que todo homem precisa levar a sério: *você e eu somos criados incompletos.*

Os homens são feitos por Deus não para ficar em isolamento; antes, necessitam de companhia, e a companhia que cumpre a intenção de Deus em nossa vida é uma mulher. Não nos completamos apenas através de nosso trabalho, por mais importante que o trabalho seja para o homem. Não nos tornamos completos através de nossas amizades masculinas, por mais que seja ótimo "sair com os caras". Um cão pode fornecer uma espécie de companhia (escrevo estas palavras com meu Labrador marrom deitado aos meus pés), mas um cão não pode ser um companheiro verdadeiro para homem nenhum. Dizemos que o cachorro é "o melhor amigo do homem", mas Deus não pensa assim. A única maneira pela qual um homem pode ter um cão como companheiro é se rebaixando ao nível do cão, o que não faz mal de vez em quando, mas não pode ser a regra básica para sua vida. Deus pretende que o homem tenha uma parceira que carregue a imagem de Deus junto com o homem e que, com o homem, possa olhar para Deus e viver para ele.

Há também um ponto importante a ser visto no uso por Deus da palavra *auxiliadora*. De fato, a esposa é a melhor companheira possível para um homem, mas Deus não chamou Eva de "companheira" para Adão porque isso sugeriria que o propósito primordial da humanidade nesta terra é comunhão e realização relacional. Da mesma forma, uma esposa é criada, de forma clara e especial, para ser parceira para o homem, mas Deus não chamou Eva de "parceira" para Adão, pois isso sugeriria que nosso propósito primordial é a procriação e o prazer sexual. Deus disse que Adão precisava de uma "auxiliadora" porque isso coloca a ênfase *primária* no mandato compartilhado de cultivar e guardar a criação de Deus sob a liderança do homem. Uma esposa é chamada para ajudar o marido nessa tarefa grande e gloriosa de diversas maneiras — ao desfrutar a companhia e a satisfação no relacionamento como sua companheira; ao desfrutar o prazer sexual; tendo filhos como sua parceira, e assim por diante. Mas tudo isso vem sob o título de "auxiliadora", que diz respeito, essencialmente, ao cultivo e à guarda da criação de Deus. Neste livro, uso muitas palavras para me referir ao relacionamento de uma esposa com o marido, dependendo do contexto. Nenhuma delas, no entanto, contradiz ou substitui seu relacionamento principal como auxiliadora.

Um homem deve encontrar uma esposa

Antes de avançarmos, deixe-me falar aos homens solteiros por alguns instantes. Eu disse que não iria repreendê-los por não serem casados — e isso é verdade. Além disso, eu sei que nem sempre é tão fácil encontrar uma esposa piedosa, e que muitos irmãos que procuraram com afinco sentiram-se muito frustrados nessa busca. Ainda assim, o ensino da Bíblia requer que eu os encoraje a perceber a importância vital (na maioria dos casos) de vocês se casarem. Se você já fugiu do casamento, deixe-me insistir que reconsidere essa atitude e (talvez) se comprometa a crescer no que for necessário. Se você tentou, mas encontrou apenas frustração, deixe-me encorajá-lo a renovar suas orações ao Senhor e não desistir.[10]

Pelo desígnio de Deus, como vimos em Gênesis 2, um homem se completa com uma mulher, e não apenas com qualquer mulher, mas com uma esposa. Disso, segue claramente

---

10 No caso de muitos homens, um grande problema são as expectativas não bíblicas, que limitam o grupo de mulheres por quem eles se sentem atraídos. Para ter conselhos bíblicos sobre esse importante assunto, os leitores podem considerar o capítulo 5 do livro sobre namoro que escrevi com minha esposa, *Holding Hands, Holding Hearts: Recovering a Biblical View of Christian Dating* (Phillipsburg, N.J.: P&R, 2006).

que é vital para o bem-estar de quase todo homem adulto que se case. É verdade que o apóstolo Paulo identificou um "dom de celibato" que ele desejava que todos os homens tivessem (1Co 7.7). Ele se referia à habilidade de alguns homens em se dedicar ao serviço a Deus sem os embaraços do casamento. Então, a menos que você tenha o dom ao qual Paulo se referiu, é imperativo para seu bem-estar que você se case, a fim de superar a fase da vida adulta solteira de "não é bom".

Essa é uma mensagem especialmente importante para os jovens homens adultos de hoje, que são bombardeados com a mensagem oposta. "Cara, não se case!", dizem todos os seus amigos. Quando o primeiro cara se casa depois da faculdade, seus amigos lamentam a ocasião como se ele tivesse contraído uma doença fatal. Assim, enquanto Deus diz: "Não é bom que o homem esteja só", os homens dizem uns aos outros para fugir do casamento como se fosse uma praga. Como sempre, porém, Deus é quem está certo. A melhor coisa que um jovem cristão pode fazer — e, aqui, falo de alguém que é capaz de cumprir as obrigações do casamento, o que implica que esteja disponível para o trabalho em tempo integral — é casar-se com uma mulher piedosa.

Na minha opinião e de acordo com os ensinamentos da Bíblia, um dos maiores problemas da igreja hoje é o fracasso dos jovens adultos em valorizar e buscar o casamento. Esse problema se desdobra na frustração de mulheres cristãs de vinte e poucos anos, cujos corpos projetados por Deus clamam por bebês, e cuja composição emocional projetada por Deus é voltada ao casamento, mas que praticamente não encontram cristãos em sua comunidade que estejam prontos ou interessados em se casar. Como resultado de uma cultura masculina que teme o casamento, homens de seus vinte ou trinta anos caem em pecado sexual (afinal, o casamento é a provisão de Deus contra a luxúria; veja 1Co 7.9) e cultivam comportamentos antissociais que perpetuam a imaturidade emocional e social. Hoje, quando Deus olha para homens solteiros e diz: "não é bom", sem dúvida tem em mente uma longa lista de "auxiliadores impróprios", incluindo pornografia, videogames, obsessão por esportes e caixas de pizza vazias que são próprias da vida de muitos jovens homens adultos, mesmo entre os cristãos.

Nossa sociedade diz aos jovens adultos que abdiquem da providência de Deus para suas necessidades físicas, emocionais e sexuais, apenas com vistas a permanecer tão imaturos e egoístas quanto possível, pelo tempo que for possível. Você sabe o que a Bíblia diz a esse respeito: simplesmente não é bom.

Uma auxiliadora idônea, mas diferente

Deus fez a mulher não apenas para ser auxiliadora do homem, mas também para ser "idônea" para ele, uma ajudante adequada ao seu papel. Isso vem de uma palavra em hebraico que é usada nas Escrituras somente nessa passagem: *kenegdo*. A raiz dessa palavra significa "na frente de" ou "diante de". A ideia é que a mulher corresponda ao homem, não como o reflexo de um espelho, mas como uma peça de quebra-cabeça que se encaixa. Considere como Deus a fez:

> Então, o Senhor Deus fez cair pesado sono sobre o homem, e este adormeceu; tomou uma das suas costelas e fechou o lugar com carne. E a costela que o Senhor Deus tomara ao homem, transformou-a numa mulher e lha trouxe. E disse o homem: Esta, afinal, é osso dos meus

ossos e carne da minha carne; chamar-se-á varoa, porquanto do varão foi tomada (Gn 2.21-23).

Deus tirou uma parte de Adão, de modo que a mulher correspondia a ele; mas, então, Deus a fez um pouco diferente, transformando a costela de Adão na mulher. As palavras "fez" ou "transformou" indicam uma habilidade artesanal especial, que vemos na beleza que as mulheres trazem para a vida dos homens. Porque Deus fez a mulher a partir do homem e depois a formou para ser diferente, ela é precisamente ajustada como uma ajudadora para o homem — e de uma maneira linda.

Nossa sociedade não atribui status elevado à condição de auxiliadora por causa da ênfase cultural irracional em independência e autonomia. No entanto, ser auxiliadora é algo nobre aos olhos de Deus. Além disso, *auxiliador* (ou *ajudador*) é a palavra que a Bíblia mais usa para falar de Deus em sua fidelidade pactual ao seu povo. "O Deus de meu pai foi a minha ajuda", exultou Moisés (Êx 18.4), e uma das maiores ajudas dadas por Deus foi fazer a mulher para o homem como sua ajudadora. Que ajuda uma esposa piedosa é para qualquer homem!

Tenho um amigo mais velho cuja querida esposa de muitas décadas morreu recentemente. Agora, seus amigos estão preocupados com a possibilidade de que ele possa morrer em breve, já que ela não está mais lá para cuidar dele. Todo o seu bem-estar — físico, emocional e sexual — vinha do ministério dela em relação a ele. Sua eficiência como líder de negócios dependia, em grande parte, dos cuidados que ela dedicava à sua casa e à sua vida pessoal. Como muitos homens da geração mais velha de hoje, meu amigo não faz ideia de como cozinhar, fazer faxina ou passar roupas. Ele era completamente dependente da ajuda amorosa e fiel de sua esposa — e, em grande parte, porque ela era uma mulher excepcional, ele é um homem excepcional. A dependência que o marido tem em relação à sua esposa corresponde exatamente à forma como Deus projetou.

Deus fez as mulheres de tal maneira que elas gostam de cuidar de um homem e não estão contentes sem ter um homem para amar. Por isso o casamento não é meramente o "mal necessário" que alguns dizem ser, mas, antes, como escreve João Calvino, "a mulher é dada como companheira e consorte ao homem, para ajudá-lo a viver bem". Assim, ele conclui: "o casamento realmente dará aos homens o melhor suporte da vida".[11]

A maravilha e o desafio

No fato de Deus formar a mulher como auxiliadora adequada ao homem, residem tanto a maravilha como o desafio do casamento. Pelo desígnio de Deus, a mulher é feita para uma unidade essencial com o homem. Por isso Adão celebrou: "Esta, afinal, é osso dos meus ossos e carne da minha carne; chamar-se-á varoa, porquanto do varão foi tomada" (Gn 2.23). As mulheres são equivalentes aos homens, e não suas posses ou escravas. E, ainda assim, também são diferentes. Por isso, os homens consideram as mulheres tão atraentes, mas também misteriosas.

Como a mulher foi feita de uma forma que corresponde ao homem, embora seja diferente dele, podemos alcançar uma união profunda com nossas esposas, sem nunca deixar de

---

11 João Calvino, *Genesis* (Edinburgh, Scotland: Banner of Truth Trust, 1847, reimpressão 1992), 129 [edição em português: *Gênesis* (São Paulo: Clire, 2018)].

descobrir coisas novas a seu respeito. É claro que as diferenças entre homens e mulheres (que são fundamentais e imutáveis, por causa da criação de Deus) são tais que um homem nunca entenderá completamente sua esposa. Confesso que, depois de 16 anos de casamento, ainda me esforço para entender como minha esposa pensa e se sente, não por alguma deficiência da parte dela, mas simplesmente por ser mulher. Isso é assim pela vontade de Deus, uma vez que permite que o relacionamento conjugal seja atraente, interessante e exigente por muitas décadas, mesmo na vida mais longa.

Muitos homens se ressentem das diferenças entre eles e suas esposas, especialmente quando são ampliadas pelo pecado. Por que ela gosta de fazer compras por horas a fio, quando comprar o que ela precisa leva apenas alguns minutos? Por que ela sempre quer falar sobre o nosso relacionamento? Por que ela não gosta das minhas soluções, preferindo alongar-se nos problemas? Por que é tão difícil a comunicação com ela e por que às vezes é difícil chegar a um acordo?

Mesmo sem as considerações sobre o pecado, a resposta a todas essas perguntas é que "Deus determinou dessa maneira". Quão útil é saber por que e como Deus fez a mulher para o homem! O fato é que Deus não criou o casamento para ser como um grupo de caras em curtição. Tudo que os homens precisam é de uma pizza e um jogo decente para jogar ou assistir e, então, podem ser amigos. Mas coloque uma mulher no meio e tudo fica muito mais difícil (também é assim no sentido contrário, embora a sociedade feminina pareça muito mais complicada). Oh, por quê? Porque Deus queria que fosse assim. Deus quer que nós, homens, aprendamos a dar, servir e amar da mesma maneira como ele dá, serve e ama. Fomos feitos para carregar sua imagem, afinal, e a principal sala de aula na qual um cristão aprende a ser como seu Pai celestial é na escola do casamento.

O amor não deve ser fácil

Vamos examinar isso em termos dos diferentes tipos de amor. A Bíblia usa quatro palavras para o amor. Há *storge*, que fala do amor da família (nós temos de amar nossos familiares). Há também *eros*, que é o amor sexual. E há *philos*, que significa, basicamente, "gostar". Esse é o amor que recebe, e é o que os homens geralmente têm em mente quando se trata de casamento. Dizemos às nossas esposas "eu te amo", querendo dizer "você me faz sentir bem" ou "gosto de me sentir assim por sua causa". Esse tipo de amor circunstancial e egocêntrico é o mais fácil para nós. Mas Deus deseja que tenhamos o quarto tipo de amor, *ágape*, que é o amor doador que Deus tem por nós. Quando Paulo diz: "maridos, amai vossa mulher" (Ef 5.25), ele usa *ágape*.

Deus planejou o casamento de um modo que nem sempre nos faz sentir bem. Deus deseja que, quando um cristão disser "Eu te amo" à sua esposa, ele não esteja meramente indicando "Me dê algo", mas também esteja dizendo "Eu dou algo a você". Ele a ama dando-se a ela e por ela. Não foi isso que Deus fez por nós ao dar seu único Filho?

Assim como seu Filho foi um presente caro, Deus pretende que o amor de um homem por sua esposa seja custoso. Simplificando, não é fácil para o homem amar sua esposa, e Deus não pretende que seja fácil. Se fosse fácil, não seria valioso. Em vez disso, Deus deseja que nós, maridos, amemos nossas esposas, a quem não entendemos por completo, pois elas pensam e sentem de maneira diferente de nós e exigem um amor que envolve sacrifício de nossa parte. Um dos propósitos principais de Deus em nossas vidas como homens é nos ensinar a amar como ele ama. Seu desígnio complementar no casamento destina-se a promover o amor *ágape* divino em nós.

Isso significa que não é necessário nem possível que um homem "entenda" completamente sua esposa. Deus não ordena que homens e mulheres sejam idênticos ou se entendam perfeitamente. É pela determinação da criação de Deus que pensamos e sentimos de maneira diferente. Aquelas áreas em que diferimos fundamentalmente uns dos outros nunca mudarão. A mulher sempre será semelhante ao homem — e será sempre diferente do homem. Ela é uma auxiliadora, adequada de maneira única para complementá-lo.

Como amar

O que, então, um homem deve fazer com a mulher que Deus lhe deu? A resposta conclui o ensinamento de Gênesis 2 sobre como um homem deve amar sua esposa: "por isso, deixa o homem pai e mãe e se une à sua mulher, tornando-se os dois uma só carne. Ora, um e outro, o homem e sua mulher, estavam nus e não se envergonhavam" (Gn 2.24-25).

Nesses versos, Deus chama o homem a dar passos específicos no relacionamento como seu líder. Sua esposa, como sua auxiliadora, é chamada a fazer o mesmo, mas Deus apresenta este comando ao homem: ele deve "unir-se" à sua esposa. Versões mais antigas da Bíblia traduzem isso como "apegar-se", o que nos lembra juntar coisas, como se faz com cola. Essa é uma boa imagem do que Deus pretende entre marido e mulher. Ele quer que nos juntemos.

Mas essa união nos muda. Isso nos obriga a desistir de algumas coisas, a viver de uma forma diferente de como vivíamos. Exatamente! Deus não fez o homem para viver para si mesmo. Deus não colocou Adão no jardim para se apaixonar por suas ferramentas, seus brinquedos e seu estilo de vida egocêntrico. Ele colocou Adão lá para cultivar e guardar, trabalhando, nutrindo e protegendo aquilo que Deus lhe havia confiado. E o primeiro passo para muitos de nós nos tornarmos os homens que Deus quer que sejamos é nos casar, para que possamos deixar para trás nossos caminhos egoístas e começar a cumprir a vocação masculina por meio do relacionamento com nossas esposas. Isso é para nosso bem, como qualquer homem em um casamento piedoso pode lhe dizer. É ótimo ter uma auxiliadora criada por Deus para me amar e servir. Mas é especialmente bom ter de me erguer com virtude e força masculinas pelo bem de minha esposa, deixando para trás o foco em mim mesmo, que, na melhor das hipóteses, era próprio apenas a uma fase passageira como solteiro.

Em Gênesis 2, aprendemos que uma visão correta do casamento começa com o reconhecimento das intenções de Deus para os homens no matrimônio. Somos chamados a encontrar nossa satisfação em cultivar e guardar, na maioria das vezes casados e unidos a uma mulher que Deus nos deu como auxiliadora idônea. E, porque Deus é bom, fez a mulher de modo que ela encontre boa parte de sua própria satisfação em ser essa auxiliadora.

Como vimos anteriormente neste livro, o bem maior que Deus quer para todos os seus filhos é que carreguem sua imagem com força espiritual e maturidade. Para a maioria dos homens, é impossível fazer isso fora do casamento com a plenitude que Deus pretende. Por isso "não era bom" que Adão estivesse sozinho. Assim como o fim principal da vida de um homem é glorificar a Deus e gozar de seu conhecimento para sempre, o fim principal do casamento é que um homem e uma mulher conheçam e glorifiquem a Deus juntos através de suas vidas e, mais especificamente, através de seu amor piedoso um pelo outro.

Questões para reflexão e discussão

- Por que não é bom que o homem esteja só? Por que a relutância de jovens adultos em se casar é tão perigosa? Por que Deus quer que os homens entrem no relacionamento matrimonial?
- Por que um cão não pode ser realmente o "melhor amigo do homem"? Quais são os objetivos de Deus no companheirismo entre marido e mulher? O que significa a expressão "auxiliadora idônea"?
- Se você é um homem casado, que tipo de "amor doador" se conecta com sua esposa? Você acha isso fácil ou difícil? Por que é desafiador para os homens irem além de receber amor para o amor doador que Deus deseja? Como você pode orar para se unir e ministrar melhor à sua esposa?
- Se você é solteiro, o que o impede de se casar? Ore para que Deus o capacite a ter uma esposa, e para que Deus lhe dê uma esposa.

Capítulo 7
Casamento amaldiçoado e redimido

"**As mulheres são amaldiçoadas**", resmungou um amigo na época da faculdade após o término de seu último romance. "As mulheres são amaldiçoadas", respondemos em um coro de afirmação masculina, refletindo sobre como essas criaturas misteriosas nunca pareciam agir como nós queríamos. Por isso achávamos bem mais fácil sair com os rapazes, por isso tantas vezes tratávamos as mulheres muito pior do que elas mereciam e por isso tentávamos, ao máximo, adiar o casamento.

Na verdade, o fato de a mulher ser insondável para o homem é uma bênção pretendida por Deus para nós, como vimos no capítulo anterior. Tendo feito essa ressalva, a declaração de meu amigo deveria ser aceita como verdadeira. As mulheres *são* amaldiçoadas. Mas os homens também são. E é a maldição que caiu sobre homens e mulheres por causa do pecado que torna o casamento não apenas desafiador, como também dolorosamente impossível para tantas pessoas. A maldição do pecado sobre o casamento é a melhor explicação para a elevadíssima taxa de divórcio nos dias de hoje. Mesmo entre os cristãos, a maldição de Deus sobre homens e mulheres e, portanto, sobre o casamento se reflete em muita amargura, dor e pecado — e tudo isso na instituição que Deus deu para nos abençoar.

O pomo de Adão

Todo cristão precisa estar bem familiarizado com Gênesis 3, o relato da queda do homem no pecado, pois foi em resposta a essa queda que Jesus Cristo veio ao mundo para sofrer e morrer por nossa salvação. A história começa em Gênesis 2, onde aprendemos que Deus ordenou que nossos primeiros pais não comessem da árvore do conhecimento do bem e do mal, para que não morressem (vv. 16-17). Mas, então, a serpente enganou a mulher para que ela desejasse o fruto e comesse dele (Gn 3.1-6). Gênesis nos diz que ela "tomou-lhe do fruto e comeu e deu também ao marido, e ele comeu" (Gn 3.6). Foi da mão de sua mulher que Adão pegou esse "pomo" — já com uma mordida faltando.

Perceba aqui que Satanás dirigiu seu primeiro ataque à criação de Deus por meio do relacionamento entre homem e mulher. Adão caiu em pecado por meio de sua lealdade e amor pela esposa. Isso demonstra não apenas como Satanás pode ser imensamente criativo ao inventar suas tentações, mas também — e o que é mais importante — como o casamento é central no plano de Deus. Satanás atacou em um ponto no qual o homem e a mulher eram vulneráveis, mas também porque viu o potencial de ameaça da parceria deles. Então, onde alguns podem querer dizer "viu, eu disse que o casamento é ruim!", a verdade é exatamente o oposto: o casamento é tão bom que Satanás o atacou primeiro.

Creio que, diante do ataque sagaz de Satanás, Adão se viu em um dilema que se tornou sua ruína: ele achava que devia escolher entre a mulher e Deus, entre o dom (a mulher) e o Doador. Ele parece ter pensado que *recusar* o fruto significava rejeitar sua esposa em favor de Deus, e que *aceitar* o fruto significava rejeitar a Deus em favor de sua esposa. A devoção de Adão à mulher era tão grande que ele cometeu o grave pecado de escolhê-la em detrimento de Deus.

Adão estava apenas meio certo na avaliação de seu dilema. Na verdade, era um falso dilema, de modo algum uma simples escolha do tipo "isso ou aquilo", que ele, aparentemente, pensou que fosse. Não sabemos o que teria sido de Eva se Adão tivesse apelado a Deus por ajuda à luz de seu pecado. Mas sabemos que unir-se a Eva na rebelião contra o mandamento de Deus foi a resposta errada. Os presentes de Deus transmitem bênçãos apenas quando são desfrutados em obediência a ele. Ao escolher pecar com Eva — escolhendo o dom em vez do Doador —, Adão caiu na armadilha sagaz de Satanás e caiu também sob a condenação de Deus. No final, Adão caiu não apenas por escolher pecar, mas por preferir o presente divino de sua esposa ao próprio Deus.

Esse padrão molda a atitude caída do homem até hoje: a humanidade pecadora deseja os dons e as bênçãos de Deus, mas não quer nada com aquele que os fornece. Nós recebemos o dom e rejeitamos o Doador. E, em nenhuma outra área da vida, isso é mais real do que nas relações entre homem e mulher. Os homens incrédulos querem desfrutar as bênçãos da companhia feminina em seus próprios termos (em geral, com foco no sexo), usando o dom de Deus como eles mesmos acham que é melhor. Como resultado, o casamento e a sexualidade tornaram-se não mais apenas uma bênção, mas também uma maldição em nossa sociedade.

Esse relato de Gênesis 3 não é um conto feliz, e passaremos boa parte deste capítulo explorando os efeitos perniciosos e implacáveis do pecado no casamento que foram desencadeados naquele dia no jardim. Isso é necessário porque, se quisermos aprender a lidar de forma eficaz com o pecado, devemos enfrentá-lo com clareza. Mas, para aqueles que precisam de um vislumbre de esperança para sustentá-los nas próximas páginas, saibam que até o final deste capítulo teremos identificado e celebrado a solução para o problema que começou em Gênesis 3.

Amor afastado

A consequência do primeiro pecado é tão instrutiva quanto o próprio pecado. A primeira coisa que notamos é que o pecado, imediatamente, começou a arruinar o relacionamento entre homem e mulher. "Abriram-se, então, os olhos de ambos; e, percebendo que estavam nus [...]" (Gn 3.7). A livre intimidade de seu relacionamento amoroso foi poluída pelo pecado e se tornou "algo desagradável e cheio de vergonha".[12] Como resultado, "coseram folhas de figueira e fizeram cintas para si" (Gn 3.7). É assim que vivemos hoje. Com nossos corações e mentes corrompidos pelo pecado, é difícil deixar alguém realmente conhecer-nos, incluindo (às vezes, especialmente) as pessoas mais próximas de nós. Além disso, com frequência, nossos estratagemas de autodefesa são tão ridiculamente ineficientes quanto os de nossos primeiros pais. Nenhum tipo de esconderijo com folhas de figueira pode realmente fazer a diferença. Somente através da graça, do perdão e do arrependimento, os

---

12 Victor P. Hamilton, *The Book of Genesis*, Chapters 1–17 (Grand Rapids, Mich.: Eerdmans, 1990), 191.

cristãos podem recuperar boa parte do que foi perdido no pecado, para que a unidade que Deus deseja para o casamento possa ser restaurada de modo significativo.

Mais fundamental, entretanto, do que a separação entre homem e mulher é a separação entre Deus e o homem que resulta do pecado. Adão e Eva "ouviram a voz do SENHOR Deus, que andava no jardim pela viração do dia" (Gn 3.8), então se esconderam entre as árvores. O que poderia descrever mais perfeitamente os efeitos malignos do pecado do que essa fuga da presença de seu bom e amoroso Deus? Quando Deus questionou Adão por seu comportamento, nosso primeiro pai respondeu: "porque estava nu, tive medo, e me escondi" (Gn 3.10). "Quem te fez saber que estavas nu?", retrucou Deus. "Comeste da árvore de que te ordenei que não comesses?" (Gn 3.11). Aqui, vemos os efeitos violentos do pecado, separando o homem não só de Deus, mas também da mulher: "Então, disse o homem: A mulher que me deste por esposa, ela me deu da árvore, e eu comi" (Gn 3.12). Assim, Adão tornou-se o primeiro de uma longa linhagem de homens que fogem da culpa. Como se diz hoje, ele "atirou Eva para as cobras", traindo-a em um esforço para salvar a própria pele. Antes que o pecado entrasse no jardim, Adão estava maravilhado pela bênção que sua mulher era (Gn 2.23), mas agora ele a despreza e acusa Deus por tê-lo amarrado a ela. A defesa de Eva era apenas um pouco menos vil, sem aceitar nenhuma responsabilidade por seu pecado e culpando a serpente (e talvez até mesmo acusando Deus por sua falta de proteção): "A serpente me enganou, e eu comi" (Gn 3.13).

Que bela bagunça fez o pecado! Ainda com o mesmo poder atualmente, o pecado continua a dividir vidas e casamentos.

Como Adão, hoje os homens acham mais fácil criticar e acusar suas esposas do que confessar seu pecado. Para alguns homens, o conflito com suas esposas enfraquece seu relacionamento com Deus. Para outros, a falta de um relacionamento com Deus os torna incapazes de amar suas esposas de forma sacrificial.

Casamento amaldiçoado por nosso fracasso

Como se a situação já não fosse suficientemente ruim, a resposta de Deus piorou as coisas. De tudo em Gênesis 2 e 3, penso que nada descreve e explica com maior precisão os problemas que experimentamos no casamento hoje do que as maldições de Deus sobre a mulher e o homem.

A maldição de Deus sobre a mulher

Talvez porque ela tenha pecado primeiro, Deus começou se dirigindo à nossa primeira mãe: "Multiplicarei sobremodo os sofrimentos da tua gravidez; em meio de dores darás à luz filhos; o teu desejo será para o teu marido, e ele te governará" (Gn 3.16). Se considerarmos como o pecado afeta as mulheres no casamento hoje, nessa maldição de duas partes a flecha acertou o centro do alvo.

Dor. Por essa maldição, o ato de dar à luz, que de muitas maneiras é o ápice da experiência feminina, torna-se desesperadamente doloroso e assustadoramente perigoso. Sem essa maldição, a dor não faria parte da gravidez e do parto. Parece claro que o ciclo menstrual de uma mulher — intrinsecamente associado ao processo de concepção — também estaria livre tanto da dor como das oscilações de humor provocadas por hormônios que podem causar tanto caos nas mulheres (e às vezes, por extensão, nos homens).

Conflito. Ainda mais diretamente ligada à relação matrimonial é a segunda parte da maldição de Deus sobre a mulher: "o teu desejo será para o teu marido, e ele te governará" (Gn 3.16). Aqui está a causa de boa parte da luta entre os sexos. Observe que Deus amaldiçoa a mulher com um desejo nocivo em relação ao homem. Ela foi feita como uma auxiliadora para o homem (Gn 2.18), mas agora essa orientação para o homem é transformada em maldição.

A palavra para *desejo* que Deus emprega aqui aparece apenas duas outras vezes em toda a Bíblia. Nós a lemos no Cântico de Salomão para descrever o desejo sexual de um homem: "Eu sou do meu amado, e ele tem saudades de mim"[13] (Ct 7.10). A maldição de Deus aplica essa palavra às mulheres e, como resultado, elas têm uma paixão doentia pelos homens e por seu relacionamento com eles. A outra ocorrência está em Gênesis, onde Deus adverte Caim sobre o poder do pecado: "o pecado jaz à porta; o seu desejo será contra ti" (Gn 4.7). Aqui, a ideia é de domínio ou controle. Juntando esses dois usos da palavra, vemos que Deus colocou uma maldição sobre a mulher para que ela fosse dominada pelo desejo nocivo de possuir e controlar seu homem.

Essa, é claro, é a experiência real de inúmeros casais. Com frequência, os homens sentem que suas esposas são muito controladoras e exigentes em suas expectativas de relacionamento. Então, os homens revidam, como Deus disse: "e ele te governará". Lembre-se: isso não é apenas um problema que *algumas* mulheres têm. Pelo contrário, é a maldição de Deus sobre as mulheres em geral e sobre o casamento. Se

---

13 N. do T.: A palavra original é traduzida na ARA por "saudades". Na NVI: "Eu pertenço ao meu amado, e ele me deseja".

você duvida disso, convido-o a examinar as revistas femininas em qualquer banca ou fila de supermercado. Qual é o fio condutor de quase todos os artigos em praticamente todas as revistas femininas? Seja o assunto desempenho sexual, dieta, culinária ou costura, o foco é em possuir e controlar o homem. Por baixo de tudo isso, está a maldição de Deus sobre nossa mãe pecadora: "O teu desejo será para o teu marido, e ele te governará" (Gn 3.16). Essa maldição é a punição de Deus pelo pecado de Adão e Eva, ampliando os efeitos do pecado em nossos relacionamentos.

A maldição de Deus sobre o homem

Para eliminar de vez qualquer risadinha irônica sobre o pecado da mulher, vamos lembrar que, imediatamente após a maldição sobre a mulher, veio uma maldição igualmente severa sobre o homem.

> A Adão ele disse: "Visto que atendeste a voz de tua mulher e comeste da árvore que eu te ordenara não comesses, maldita é a terra por tua causa; em fadigas obterás dela o sustento durante os dias de tua vida. Ela produzirá também cardos e abrolhos, e tu comerás a erva do campo. No suor do rosto comerás o teu pão, até que tornes à terra, pois dela foste formado; porque tu és pó e ao pó tornarás (Gn 3.17-19).

Como Adão era o chefe do primeiro lar, seu pecado teve um efeito mais abrangente do que o pecado de sua esposa, trazendo a maldição de Deus sobre a própria terra que Adão deveria cultivar e guardar. Isso deve nos lembrar que a ameaça primária à segurança de nossos entes queridos é sempre nosso próprio pecado. A arena na qual Adão deveria carregar a imagem de Deus por meio do trabalho foi amaldiçoada, de modo que a terra viria a produzir alimentos apenas com grandes esforços, enquanto cardos e espinhos cresceriam em abundância. Por essa razão, meu quintal tem problema com ervas daninhas; nosso trabalho é tão frequentemente cansativo e desgastante; e a morte nos espera a todos ao final de nossos dias de trabalho.

Note como o pecado teve o efeito de amaldiçoar os arranjos que Deus fez na criação. Isto é o que o pecado faz: não torna as coisas diferentes; torna-as dolorosas. Deus fez o homem para se voltar para fora de si, para o jardim. Com sua esposa amorosamente ao seu lado, ele deveria tornar as coisas abundantes e frutíferas ao cultivar o solo e guardá-lo. Agora, a orientação do homem exige tanto dele que ele quase não terá tempo para a mulher. Esta é a dinâmica em praticamente todos os casamentos: a mulher se sente negligenciada porque o homem é consumido por seu trabalho e, quando não é pelo trabalho, é por seu lazer: carros, música, esportes, pinturas, coleções de selos e outras coisas. Não é isso que encontramos em todas as revistas masculinas? As revistas masculinas são sempre sobre "coisas" fora de nossos relacionamentos: trabalho, esportes, política, dinheiro etc. Sobre mulheres também? Sim, mas não sobre mulheres em relacionamentos reais com homens; em vez disso, os homens pecadores desejam mulheres apenas como brinquedos e posses.

A maldição de Deus sobre o homem o atrai, de forma nociva, *para longe* da mulher, enquanto a maldição de Deus sobre a mulher a atrai, de forma nociva, *para perto* do homem.

Por isso a maioria das sessões de aconselhamento conjugal é uma variação do mesmo tema. Esposa: "Você não me dá atenção". Marido: "Você é muito exigente e reclama demais". Deus amaldiçoou o relacionamento conjugal com um desejo nocivo de controle por parte da mulher e um foco egoísta para fora do relacionamento por parte do homem.

O propósito da maldição

A esta altura, você pode estar se perguntando: *por que Deus faria isso? Não teria sido melhor fulminar Adão e sua mulher do que submetê-los a essa tortura?* Mas, desde o princípio, Deus tinha planos para nossa redenção, de modo que até mesmo suas maldições são projetadas tendo a redenção em vista.

Lembra-se de como Adão aceitou o fruto de sua esposa, preferindo o dom ao Doador ao comer da mão dela? Por meio de suas maldições, Deus rejeitou o próprio arranjo que Adão estava tentando estabelecer: alegria no casamento fora da submissão à autoridade de Deus. Suas maldições diziam: "Você não pode desfrutar o casamento sem devolver seu coração a mim!". As maldições de Deus sobre o relacionamento foram o veneno para o qual só o próprio Deus era o antídoto. Por isso o casamento praticamente não tem solução à parte da graça de Cristo, e o divórcio é tão desenfreado. As lutas que os homens e as mulheres experimentam no casamento são pensadas por Deus para nos conduzir aos nossos joelhos e às nossas Bíblias, a fim de que coloquemos Deus de volta no centro de nossas vidas.

A prova de que as maldições de Deus tinham caráter de redenção é encontrada nas próprias maldições — especificamente em uma maldição anterior àquelas dadas à mulher e ao homem. Após condenar a serpente a rastejar pela terra por toda a sua vida, Deus deu esta maldição a Satanás: "Porei inimizade entre ti e a mulher, entre a tua descendência e o seu descendente. Este te ferirá a cabeça, e tu lhe ferirás o calcanhar" (Gn 3.15).

A primeira parte dessa maldição garante que sempre haveria descendentes piedosos de Adão e sua esposa em oposição à descendência ímpia; Satanás nunca teria sucesso em ganhar toda a humanidade para sua causa profana. Porém, o mais significativo aqui é a promessa de Deus a respeito de uma semente particular da mulher: "Este te ferirá a cabeça, e tu lhe ferirás o calcanhar". Aqui está predita a derrota final de Satanás pelo Senhor Jesus Cristo, que nasceria de uma mulher e sofreria o ferimento do ataque de Satanás ao ser pendurado na cruz. No processo, porém, Jesus esmagaria a cabeça de Satanás, destruindo o alicerce do reino de Satanás ao sofrer a ira do Pai e morrer para nos libertar dos pecados.

Também podemos ver a graça redentora de Deus sobre o homem e a mulher em sua ação logo após pronunciar suas maldições: "Fez o SENHOR Deus vestimenta de peles para Adão e sua mulher e os vestiu" (Gn 3.21). Deus dissera que, se Adão pecasse, haveria morte no jardim (Gn 2.17) e, de fato, houve. Mas foi um substituto que pagou a penalidade pelo pecado de Adão, já que ele e a mulher foram vestidos com peles de animais inocentes e imaculados. Aqui foi prefigurada a obra expiatória de Jesus, o Cordeiro que um dia morreria por nossos pecados (Jo 1.29). Aqui também vemos a imputação da justiça de Cristo — Deus nos revestindo da inocência de Cristo —, a fim de que o homem e a mulher, por meio da fé na promessa de um Salvador, pudessem estar diante de Deus e receber sua bênção. De fato, foi só depois disso que

Adão decidiu o nome de sua esposa, e eu acho provável que esse nome tinha a intenção de expressar sua fé em comum na promessa de Deus de que o Messias viria pelo seu ventre: "E deu o homem o nome de Eva a sua mulher, por ser a mãe de todos os seres humanos" (Gn 3.20).

Nossa esperança de renovação

Ao nos prepararmos agora, no final deste capítulo e ao longo do próximo, para considerar o ensino do Novo Testamento a respeito do casamento, vamos recapitular o que aprendemos em Gênesis 2 e 3 sobre pecado e redenção:

- Existe um padrão nos efeitos do pecado. O pecado tende a nos separar uns dos outros, assim como nos separa de Deus. O pecado traz culpa e, com a culpa, vem a incapacidade de confiar nos outros ou de permitir que se aproximem.

- A maldição de Deus sobre as mulheres faz com que tenham um desejo nocivo de possuir e até mesmo controlar os homens, cujo resultado inevitável é o conflito conjugal. O homem, chamado para cultivar e guardar o jardim, é tão absorvido por seu trabalho e lazer que dá pouca atenção à esposa.

- Toda essa luta dentro de nós e em nosso meio é planejada por Deus para nos atrair de volta para si mesmo quando olhamos para Jesus em busca de perdão e retidão. Quando lançamos fora as folhas de figueira de nossa justiça própria e deixamos de transferir nossa culpa aos outros, confessando nossos pecados e nos revestindo com a justiça de Cristo, Deus traz cura para nós e nosso relacionamento humano mais próximo e mais importante, nosso relacionamento conjugal com uma mulher.

Então, se o começo da história é realmente trágico e destrutivo, o fim é alegre e redentor. Acho que o apóstolo Paulo fez o melhor resumo de nossa esperança de renovação e restauração como cristãos. Ele escreveu em Colossenses sobre as bênçãos que Deus nos concedeu em Jesus Cristo, referindo-se a nós como "eleitos de Deus, santos e amados", e perdoados de nossos pecados pelo Senhor (Cl 3.12-13).

Estes são os recursos da graça que Deus nos deu: ele nos escolheu em Cristo para a salvação, nos separou para a salvação e para uma nova vida, e colocou seu amor paternal sobre nós como filhos queridos. À luz da bênção restaurada de Deus por nós em Jesus Cristo, Paulo nos vê finalmente capazes de restaurar nosso relacionamento com outros cristãos, especialmente expondo a resposta da graça que, agora, podemos estender às nossas esposas: "Revesti-vos, pois, como eleitos de Deus, santos e amados, de ternos afetos de misericórdia, de bondade, de humildade, de mansidão, de longanimidade" (Cl 3.12). Essas são as mesmas coisas que o pecado tenta impedir que eu ofereça — lembra-se de como o pecado fez com que Adão condenasse sua esposa com a finalidade de acobertar seu próprio pecado? Mas agora, perdoado e santificado por Deus em Cristo, um homem cristão é capaz de ter misericórdia, bondade, humildade, mansidão e longanimidade em relação à sua esposa (e vice-versa).

Quanta diferença isso faz! Paulo continua: "Suportai-vos uns aos outros, perdoai-vos mutuamente" (Cl 3.13).

Consciente de que fui maravilhosamente perdoado através do sangue de Cristo, agora tenho a capacidade de perdoar os outros que pecam ou me decepcionam, assim como minha esposa agora graciosamente me perdoa. "Acima de tudo isto, porém, esteja o amor, que é o vínculo da perfeição. Seja a paz de Cristo o árbitro em vosso coração, à qual, também, fostes chamados em um só corpo; e sede agradecidos. Habite, ricamente, em vós a palavra de Cristo" (Cl 3.14-16).

Você vê como a maldição do pecado é redimida em Cristo? Esses versos não servem apenas para dar valor sentimental a guardanapos de casamento e quadros em paredes. Pelo contrário, eles são a agenda palpável da graça restauradora de Deus. Eu não tenho de esperar até entender completamente minha esposa para amá-la. Em Cristo, não tenho licença para reter meu amor até que ela mude de acordo com minha agenda egoísta. Sou livre em Cristo, através dos recursos da graça redentora de Deus para mim, para amar minha esposa. Porque Deus me perdoou, posso verdadeiramente perdoá-la. Porque Deus me deu, posso alegremente dar a ela. Com a compaixão de Deus por mim, tenho compaixão para dar; com a graça de Deus, posso mostrar graça. E, com a Palavra de Deus habitando em nosso relacionamento, minha esposa e eu podemos crescer nessa graça para aprendermos cada vez mais a amar um ao outro, enquanto, gradativamente, extraímos mais das fontes do amor salvador de Deus por nós.

Como eu disse no capítulo anterior, conhecer faz toda a diferença. Ajuda muito conhecer o que deu errado com a humanidade e com homens e mulheres em particular. Mas ajuda muito mais conhecer a graça que Deus tem para nós através da fé em Jesus, o Cordeiro que tira o nosso pecado. Deus quer que conheçamos seu valor como Doador, para que ele esteja no centro de toda a nossa adoração e vida. Quando retornamos a ele pela fé em Cristo e o colocamos no centro de nossas vidas e casamentos, Deus tem uma graça abundante para nós darmos a outros como Deus nos deu.

Questões para reflexão e discussão

- Como você experimenta o padrão pelo qual o homem pecador deseja desfrutar os dons de Deus, mas rejeita a Deus como Doador? Por que isso é um problema?
- Você acha justo dizer que as mulheres tendem a querer possuir e controlar os homens? Como a maldição sobre Eva descreve essa tendência? Como esse desejo leva ao conflito conjugal? É igualmente justo dizer que os homens tendem a se preocupar com fatores externos ao relacionamento? Qual é o problema com esse padrão?
- Como a promessa do evangelho — especificamente centrada na descrição de Deus de um sacrifício expiatório e da justiça imputada (Adão e Eva cobertos por peles de animais inocentes) — serve como ponto de partida para a redenção de nossos casamentos?
- Quais são os "recursos da graça" expostos por Paulo em Colossenses 3.12-13? Como servem de recursos que nos permitem responder de maneira diferente e mais amorosa às nossas esposas?

Capítulo 8
O casamento e o mandato masculino

Um dos princípios mais importantes da salvação cristã é que a redenção cura a queda. A Bíblia descreve a história humana em termos de criação, queda e redenção, de modo que o objetivo da redenção é assegurar os propósitos de Deus na criação e levá-los ao desfecho pretendido por ele desde o começo.

Saber que a redenção cura a queda é uma notícia muito boa para nós, porque significa que Deus providenciou uma solução para nossos maiores problemas. Considere a morte, por exemplo, que é a principal maldição que resultou do pecado. Por causa da ressurreição de Cristo, os cristãos podem ter certeza de que a morte será derrotada em nossa própria ressurreição no final dos tempos. Para a culpa, Cristo oferece perdão. Para a tentação do pecado, ele provê a graça de seu Espírito Santo. E assim segue, em todas as categorias de vida. A salvação cristã é realmente excelente! Deus, em sua bondade, não apenas reteve a punição que nosso pecado merecia, como também seu plano salvador traz todas as bênçãos que ele originalmente planejou, de modo que seu povo possa conhecer seu amor e carregar sua imagem em glória.

Como temos aprendido, essa grande salvação tem tudo a ver com casamento. No capítulo 6, consideramos o casamento da forma como Deus o criou. No capítulo 7, vimos como o pecado manchou o casamento. Podemos, um dia, voltar às glórias do jardim? A resposta não é apenas "sim", mas, como essa é a intenção de Deus, podemos ter certeza de que ele fará isso acontecer. Seu plano de redenção nos fará avançar dessa criação caída até a glória ilimitada e eterna que ele preparou para nós no fim. Os cristãos, portanto, podem confiar na redenção de Deus, ainda que sejamos realistas ao enfrentar os problemas do pecado. Talvez não haja outro relacionamento em que esse misto de confiança e realismo seja mais requerido do que no casamento cristão.

Nosso estudo de Gênesis 2.15 revelou o duplo Mandato Masculino, com base no motivo original para Deus ter colocado o homem no jardim: "Tomou, pois, o Senhor Deus ao homem e o colocou no jardim do Éden para o cultivar e o guardar" (Gn 2.15). Na mesma proporção que esse mandato foi manchado pelo pecado, a obra redentora de Deus em Cristo restaura os homens ao nosso elevado chamado e nos capacita a cumpri-lo. Para revisitar um pouco do que aprendemos no capítulo 2, o termo *cultivar* significa o amplo mandato de Deus para uma masculinidade que nutre e cuida, que faz com que as pessoas e as coisas cresçam e se tornem fortes. O segundo termo, *guardar*, refere-se ao homem como vigia e defensor, mantendo seguros os que estão sob nossos cuidados. Observando diligentemente o mandato de cultivar e guardar, os homens cumprem sua vocação de edificar e manter em segurança.

O ensino do Novo Testamento sobre o casamento revela que os atos de cultivar e guardar seguem o próprio padrão do chamado de Deus para um marido cristão. Neste capítulo, vamos nos concentrar nas duas porções principais do Novo Testamento que descrevem o dever de um homem para com sua esposa, Efésios 5.22-33 e 1 Pedro 3.7, desenvolvendo os detalhes dessas passagens nos termos do mandato masculino para cultivar e guardar.

Liderança masculina e submissão feminina

Paulo aborda o tema do casamento como parte de sua discussão mais ampla sobre a conduta cristã. Sua exortação básica é para que os crentes sejam "imitadores de Deus, como filhos amados" (Ef 5.1). As crianças aprendem fazendo o que seus pais fazem, e nós, como filhos de Deus, devemos imitá-lo. Paulo expõe esse tema sob os aspectos da pureza moral (Ef 5.3-20) e do chamado cristão à submissão pacífica (Ef 5.21– 6.9). O apóstolo aplica o chamado à submissão em vários contextos: esposas submetendo-se aos maridos (Ef 5.22-33), filhos submetendo-se aos pais (Ef 6.1-4) e escravos submetendo-se aos senhores (Ef 6.5-9). Paulo não está dizendo que as esposas são como filhos ou escravos, mas, sim, que esses são três tipos de relacionamentos nos quais os cristãos são chamados a se submeter pacificamente à autoridade divinamente ordenada. Nessas mesmas passagens, Paulo se dirige àqueles com autoridade, exortando-os a usar seu poder de maneira construtiva e protetora.

Quando Paulo se dirige a um marido em seus deveres para com sua esposa, claramente opera a partir da premissa de que o homem recebeu autoridade de Deus para liderar o lar. Primeiro, ele chama as esposas para que se submetam aos seus próprios maridos por reverência a Cristo. "Porque o marido é o cabeça da mulher, como também Cristo é o cabeça da igreja, sendo este mesmo o salvador do corpo" (Ef 5.23). Após a breve exortação às mulheres, Paulo dá início a um ensinamento mais longo e detalhado sobre os deveres do homem:

> Maridos, amai vossa mulher, como também Cristo amou a igreja e a si mesmo se entregou por ela, para que a santificasse, tendo-a purificado por meio da lavagem de água pela palavra, para a apresentar a si mesmo igreja gloriosa, sem mácula, nem ruga, nem coisa semelhante, porém santa e sem defeito. Assim também os maridos devem amar a sua mulher como ao próprio corpo. Quem ama a esposa a si mesmo se ama. Porque ninguém jamais odiou a própria carne; antes, a alimenta e dela cuida, como também Cristo o faz com a igreja; porque somos membros do seu corpo (Ef 5.25-30).

Quando consideramos o mandamento bíblico para que nossas esposas nos sejam submissas, e como isso é um remédio contra sua tendência pecaminosa ao desrespeito e ao desafio pelo controle, podemos ser tentados a adotar uma atitude condescendente. Mas, como vemos nessa passagem, quão pior é a *nossa* situação! Nós temos de ser ordenados pelo Senhor a simplesmente amar nossas esposas!

Quando Deus preparou a primeira mulher como um presente e colocou-a nos braços de Adão, ele gritou de alegria. Quanto mudou desde então! O pecado fez com que os homens negligenciassem o maior presente que Deus já nos deu (a não ser a obra salvadora de Cristo). Quando Paulo escreve o simples mandamento: "Maridos, amai vossa mulher", expõe o cerne vergonhoso do problema da maioria dos homens casados.

Certamente, o propósito de Paulo ao escrever não era primordialmente condenar os homens, mas encorajar-nos em nosso chamado cristão. Se os homens se perguntam (e, certamente, nos perguntamos) "Ok, *como*, então, devo amar minha esposa?", Paulo responde nesses versículos. Para começar, um marido ama a esposa liderando o casamento e o lar.

O marido recebe a liderança de Deus. E isso porque, em parte, Deus não projetou esposas para que liderem maridos (veja também 1Co 11.3). Como discutimos no capítulo anterior, a maldição de Deus sobre as mulheres leva-as à frustração e à futilidade, por desejarem uma liderança que não foram designadas para assumir nem preparadas para executar. Além disso, as maldições de Deus sobre o homem e a mulher têm o efeito de tornar tudo que tentamos mais difícil. Portanto, embora a maldição conduza à tendência de as mulheres quererem liderar seus maridos, as esposas, em sua maioria, sofrerão de ansiedade caso *alcancem* o almejado, na hipótese de a negligência de seus maridos forçá-las a liderar o lar. Quantas ironias trágicas resultaram da queda de Adão e Eva e das maldições subsequentes de Deus!

Para ser claro, a liderança masculina no casamento não significa que o marido tenha de fazer tudo ou mesmo que tenha de decidir tudo. Antes, significa que ele normalmente inicia e sempre conduz essas discussões compartilhadas com a esposa, através das quais os vários aspectos do casamento e da vida familiar são decididos e planejados. A opinião da esposa tem vital importância, e um casal piedoso deve ser uma equipe unida. Mas não deve haver nenhuma área da vida familiar em que o marido não atue como líder, facilitador e supervisor. Isso é especialmente verdadeiro quando se trata do compromisso da família com princípios e comportamentos piedosos. Uma esposa cristã deve ser capaz de olhar para o marido com respeito, vendo um servo de Cristo comprometido em fazer a vontade do Senhor em casa. Um marido que busca praticar a liderança em um contexto de parceria — respeitando e encorajando integralmente as contribuições de sua esposa — está começando bem a amar sua esposa.

Cultivar: o ministério do marido de nutrir

O chamado de um marido para com sua esposa pode ser entendido em termos do mandato original que Deus deu aos homens — cultivar e guardar. O ensino de Paulo sobre o casamento enfatiza o alinhamento do ministério de um marido com o de Cristo para com a igreja. As esposas devem submeter-se aos maridos porque o marido recebe um papel limitado, porém genuinamente representativo de Cristo no casamento. Ou seja, assim como Cristo edifica seu povo, também o marido cristão deve edificar e encorajar sua esposa. Esse é o componente de "cultivar" do papel de um marido — seu chamado para manter um ministério de nutrição de amor em relação à sua esposa.

Vemos esse chamado na declaração de Paulo de que Cristo trabalhou para "santificar" a igreja, "tendo-a purificado por meio da lavagem de água pela palavra" (Ef 5.26). Paulo, então, explica que Cristo queria apresentar a igreja para si mesmo "gloriosa, sem mácula, nem ruga, nem coisa semelhante, porém santa e sem defeito" (Ef 5.27). Isso nos mostra que a primeira preocupação de um marido com sua esposa deve ser seu bem-estar espiritual: seu relacionamento com o Senhor e a força e o poder de sua fé. Paulo não está dizendo que os maridos devem violentamente pressionar suas mulheres a conformarem-se com alguma ideia de como uma esposa cristã deveria agir. Antes, os maridos devem considerar suas esposas cristãs santas aos olhos de Deus, e devem tratá-las, nas palavras de Pedro, como herdeiras também "da mesma graça de vida" (1Pe 3.7).

Em suma, um marido é chamado para edificar a fé e a esperança de sua esposa em Cristo, por meio do ministério da Palavra de Deus na vida dela. Paulo diz que Jesus "purificou" a igreja — seu povo — "por meio da lavagem de água pela palavra" (Ef 5.26). Isso pode parecer confuso, já que Jesus nos purificou com seu sangue expiatório. Mas, aqui, Paulo está se referindo ao modo pelo qual Jesus determinou que a mensagem de seu evangelho fosse pregada, para que, através da fé nele, as pessoas pudessem ser purificadas e perdoadas. Da mesma forma, Paulo diz que um marido cristão deve ministrar as promessas bíblicas do evangelho para o encorajamento de sua esposa.

O ensinamento de Paulo sobre o casamento é complementado por uma passagem paralela de Pedro, uma passagem que talvez seja ainda mais clara e direta. Após ordenar que as esposas se submetam aos seus maridos, Pedro se dirige aos homens: "Maridos, vós, igualmente, vivei a vida comum do lar, com discernimento; e, tendo consideração para com a vossa mulher como parte mais frágil, tratai-a com dignidade, porque sois, juntamente, herdeiros da mesma graça de vida, para que não se interrompam as vossas orações" (1Pe 3.7).

Pedro responde a uma pergunta que todos devemos fazer quando deparamos com o ensinamento de Paulo sobre o ministério da Palavra de Deus por parte do marido: "O que devo dizer a ela? Como posso saber a forma de encorajar minha esposa a partir das Escrituras?" Pedro responde de três maneiras. Primeiro, diz ele, viva em íntima comunhão com sua esposa. Segundo, preste atenção nela e perceba o que se passa dentro dela. Terceiro, ele insiste, aja de uma maneira que demonstre que você a estima profundamente. Vamos considerar cada uma dessas importantes ordens para os maridos.[14]

Viver juntos

Primeiro, Pedro diz: "vivei a vida comum do lar". A maioria dos homens responde: "Tudo bem, posso passar para o próximo. Nós moramos na mesma casa!". Mas é claro que esse não é o ponto de Pedro. Em vez disso, você deve viver *com* sua esposa. A palavra para "viver" é o termo grego que significa "comungar" e nos dá o substantivo *comunidade*. Pedro está dizendo que os maridos devem viver com suas esposas em uma única vida compartilhada.

Os maridos devem interessar-se pelas coisas que interessam à esposa (e a esposa deve fazer o mesmo). Os cônjuges devem passar tempo juntos e viver no mesmo ritmo. Com isso em mente, acho importante que, tanto quanto possível, marido e mulher se deitem juntos e se levantem juntos. É extremamente valioso para um casal conversar e orar à noite antes de dormir e começar o dia com incentivo e oração. Pedro está claramente sugerindo que um marido que vive em comunhão com sua esposa será mais capaz de ministrar a ela.

---

14 Neste capítulo, estou pressupondo que um homem cristão tenha uma esposa também cristã. A Bíblia deixa claro que não devemos nos casar com não cristãos (1Co 7.39), embora, quando um homem se converte já casado, sua esposa possa permanecer não crente. Não obstante, o ensino bíblico deste capítulo servirá de modelo valioso inclusive para o marido de uma esposa não cristã.

Prestar atenção

Ao desenvolver seu ponto, o apóstolo diz que os homens devem viver com suas esposas "com discernimento". Essa passagem contém uma de minhas principais frustrações com traduções da Bíblia. O texto original não diz que os homens devem apenas agir "com discernimento" ou, como dizem outras traduções, que eles devem ser "compreensivos". Pedro não está apenas dizendo aos maridos para abaixar o assento do vaso sanitário (embora isso não seja uma má ideia). O texto grego, na verdade, diz que os maridos devem viver com suas esposas "de acordo com o conhecimento". Em outras palavras, o marido deve saber o que está acontecendo com a esposa.

Eis um teste que faço com os maridos que desejam ser mais fiéis no ministério com suas esposas. Se eu questioná-lo a qualquer momento, você será capaz de me dar um esboço da agenda de sua esposa para aquele dia? Você consegue identificar pelo menos uma questão importante que esteja em sua mente e em seu coração, trazendo medo, frustração ou preocupação? Essas são as coisas que Pedro tem em mente. A maioria dos maridos não tem a menor ideia de como estão as agendas de suas esposas, muito menos dos desafios que pesam em seus corações. Uma boa maneira de descobrir é perguntando. Um marido pode dizer: "Querida, quero ministrar a você hoje; há alguma coisa sobrecarregando seu coração?". Se ele estiver em comunhão com ela, como o versículo disse anteriormente, provavelmente nem precisará perguntar. Mas, quando estiver em dúvida, ele certamente deve perguntar. A realidade é que o marido deve saber o que está acontecendo no coração e na mente de sua esposa se pretende ministrar a ela fielmente em oração e com a Palavra de Deus.

Mostrar honra

Pedro também diz aos maridos que tratem suas esposas "com dignidade" (1Pe 3.7). O ponto aqui não é meramente que o marido deve ser cortês e educado com sua esposa, embora esse, certamente, seja um bom conselho. A melhor tradução para "tratar com dignidade" é "estimá-la" (a palavra grega aqui, *time*', é usada para atribuir um alto preço a objetos no mercado). Um marido deve demonstrar à sua esposa que a valoriza grandemente, que ela é preciosa para ele. Será que a melhor maneira de fazer isso é presentear com flores ou joias? Minha experiência diz que essas são formas relativamente fáceis de comunicar a preciosidade de uma esposa. Eu acho que o principal caminho é através dos dois primeiros mandamentos de Pedro: nosso tempo e atenção. Recomendo que o marido simplesmente pergunte à esposa: "O que faz com que você se sinta valorizada?" e leve a sério o que ela tem a dizer.

Em resumo: nutrir e estimar

Combinando os conselhos de Pedro e Paulo, vemos que um marido comprometido em nutrir sua esposa fará mais do que apenas tentar fazê-la sentir-se bem. Ele se envolverá e permanecerá envolvido em sua vida. Ele dará atenção a ela e compartilhará sua vida com ela. Então, tendo um conhecimento muito mais íntimo e abrangente de sua esposa, ele ministrará a Palavra de Deus às áreas em que sabe que há peso, medo ou dúvida, de modo a edificar sua fé e sua identidade em Cristo.

Cristo trabalhou para santificar sua igreja, diz Paulo, purificando-a com a Palavra. "Assim também os maridos devem amar a sua mulher como ao próprio corpo", insiste ele.

"Quem ama a esposa a si mesmo se ama" (Ef 5.28). Isso está em consonância com a afirmação de Pedro, no sentido de que o marido precisa estar próximo de sua esposa e conhecê-la como conhece seu próprio corpo. Paulo diz que os dois realmente têm essa proximidade no vínculo matrimonial. "Porque ninguém jamais odiou a própria carne; antes, a alimenta e dela cuida, como também Cristo o faz com a igreja" (Ef 5.29).

Observe a combinação de "alimentar" e "cuidar". Nutrimos nossas esposas com a Palavra de Deus, estimando-as perto de seus corações. Assim, quando um marido percebe que sua esposa está sobrecarregada com o fardo da criação dos filhos, pode dizer a ela: "lance sobre ele toda a sua ansiedade, porque ele tem cuidado de você" (cf. 1Pe 5.7). Um marido que sabe que sua esposa se sente pouco atraente ou deprimida pode ministrar o bálsamo da Palavra de Deus ao ponto ferido em seu coração: "O Senhor, teu Deus, está no meio de ti, poderoso para salvar-te; ele se deleitará em ti com alegria; renovar-te-á no seu amor, regozijar-se-á em ti com júbilo" (Sf 3.17). Um marido que sabe que sua esposa está sofrendo uma perda pode encorajá-la a levar seu coração ao Senhor: "Perto está o Senhor dos que têm o coração quebrantado e salva os de espírito oprimido" (Sl 34.18). Isso não significa que um marido deva apenas descarregar textos bíblicos sobre a cabeça de sua esposa, mas ele deve buscar aplicar a Palavra de Deus de modo sensível e carinhoso para encorajá-la, fortalecê-la, instruí-la e exortá-la na verdade e na graça do Senhor.

Muitos maridos responderão: "Não sei se conheço a Bíblia o suficiente para atender às necessidades da minha esposa dessa maneira". Este é precisamente o objetivo de Deus: em obediência a ele, Deus quer que sejamos motivados a nos tornar os homens de fé e conhecimento bíblico que desejamos ser, pelo amor que temos por nossas esposas e pela necessidade que elas têm de nosso ministério.

Para nossos casamentos recuperarem o amor e a união que Deus planejou que tivessem, não é apenas uma questão de as esposas se submeterem a seus maridos no Senhor. Os maridos, de fato, têm a primeira e maior responsabilidade. E, à medida que vamos aprendendo mais sobre nossas esposas através de nossas vidas compartilhadas e de nosso interesse atento e valorizador de seus corações, devemos alimentá-las com a Palavra de Deus e com nossas próprias palavras encorajadoras e edificantes moldadas pela Escritura. Esse é o ensino fundamental de Pedro e Paulo sobre "cultivar" para os maridos.

Guardar: morrer para que ela viva

Juntamente com o ministério de nutrição do marido para com sua esposa, vem sua proteção para garantir que ela esteja segura. Esse é o mandato de "guardar", por meio do qual o marido protege e defende sua esposa. Dificilmente, Paulo poderia expressar isso em uma linguagem mais vívida do que quando compara o amor abnegado de um marido ao amor de Jesus Cristo na cruz: "Maridos, amai vossa mulher, como também Cristo amou a igreja e a si mesmo se entregou por ela" (Ef 5.25). Como já observei, a obra sacrificial de Cristo na cruz é o ato definitivo de "guardar", assegurando as bênçãos de Deus e vencendo os inimigos do pecado e da morte.

Segura até mesmo contra você

Quando Paulo diz que o marido deve admitir o próprio sacrifício pelo bem-estar de sua esposa, isso obviamente inclui sua segurança física. Mas a principal ameaça contra a qual um homem deve proteger sua esposa é *o seu próprio pecado*. Certa vez, um amigo expressou seu despertamento para essa verdade com as seguintes palavras: "Eu costumava pensar que, se um homem entrasse em minha casa para atacar minha esposa, eu certamente resistiria a ele. Mas, então, percebi que o homem que entra em minha casa e ataca minha esposa todos os dias sou eu, com minha raiva, minhas palavras duras, minhas reclamações e minha indiferença. Como cristão, percebi que o homem que eu precisava matar para proteger minha esposa era eu mesmo como pecador". Isso está perfeitamente certo.

Pedro aborda esse papel de protetor do coração ao dizer: "tendo consideração para com a vossa mulher como parte mais frágil, tratai-a com dignidade". Eu disse anteriormente que *tratar com dignidade* significa "estimar" a mulher. Quando um homem estima uma mulher, ele não apenas a nutre, como também a protege, para que ela se sinta segura contra abuso verbal, zombaria e desprezo — especialmente dele mesmo —, pois esses são dardos que perfuram seu tenro coração.

Como um homem debaixo de autoridade

Pedro também lembra aos maridos que eles não são nem a autoridade suprema sobre suas esposas, nem os únicos comprometidos com sua proteção. Uma esposa cristã é filha do Senhor. Portanto, Pedro adverte os maridos: "tendo consideração para com a vossa mulher como parte mais frágil, tratai-a com dignidade, porque sois, juntamente, herdeiros da mesma graça de vida, para que não se interrompam as vossas orações." (1Pe 3.7). Muitos homens me perguntam: "Esse versículo realmente diz que, se eu não amar minha esposa como Deus quer, isso afetará negativamente o relacionamento de Deus comigo?". A resposta é óbvia: "Pode apostar que sim". Esse é o significado claro das palavras, não é? Deus está dizendo aos maridos, que recebem os privilégios da liderança do pacto, mas também suas obrigações: "Não pense que seu relacionamento comigo não é afetado por seu relacionamento com aquela bela mulher, minha filha, que eu lhe dei em casamento. Se você negligenciar suas obrigações pactuais com ela, não entre em minha presença reivindicando minhas obrigações pactuais com você".

Não estou, de modo algum, sugerindo que a salvação de um homem é alcançada amando sua esposa ou que um homem que negligencia sua esposa será necessariamente abandonado por Deus. Mas esse versículo indica claramente que nosso relacionamento diário com o Senhor e, portanto, nosso próprio bem-estar espiritual estão diretamente relacionados à nossa fidelidade pactual em nutrir e proteger de nossas esposas — que, afinal de contas, são as filhas queridas do Pai celestial.

Deus nos colocou no jardim do casamento "para o cultivar e o guardar". O Senhor é generoso para conosco e é rico em misericórdia e graça para com seus filhos. Mas ele exige que cumpramos nossas obrigações ministeriais em relação às nossas esposas.

Um redentor semelhante a Cristo

Para um exemplo bíblico de como um marido pode amar sua esposa nutrindo-a e protegendo-a, podemos olhar para Boaz em seu cuidado com Rute — mesmo antes de se casarem. Rute era uma mulher extremamente vulnerável, uma estrangeira da terra odiada de Moabe e uma viúva sem uma liderança masculina para protegê-la. Ela havia retornado a Belém com sua sogra judia, Noemi, que também havia perdido tudo com a morte do marido. Desesperada para sobreviver, Rute foi para os campos com mulheres israelitas pobres para colher os grãos que restavam da colheita. Aconteceu que ela foi para os campos de Boaz, que se aproximou dela e disse o seguinte:

> Ouve, filha minha, não vás colher em outro campo, nem tampouco passes daqui; porém aqui ficarás com as minhas servas. Estarás atenta ao campo que segarem e irás após elas. Não dei ordem aos servos, que te não toquem? Quando tiveres sede, vai às vasilhas e bebe do que os servos tiraram (Rt 2.8-9).

Rute chamou a atenção de Boaz, de modo que ele a tratou como um homem piedoso deve tratar uma mulher cristã: ele a nutriu e adotou medidas para sua proteção. Rute questionou tal tratamento e Boaz explicou:

> Bem me contaram tudo quanto fizeste a tua sogra, depois da morte de teu marido, e como deixaste a teu pai, e a tua mãe, e a terra onde nasceste e vieste para um povo que dantes não conhecias. O SENHOR retribua o teu feito, e seja cumprida a tua recompensa do SENHOR, Deus de Israel, sob cujas asas vieste buscar refúgio (Rt 2.11-12).

São palavras para abençoar o coração de qualquer mulher e um modelo de como os homens devem falar para edificar suas esposas. Boaz não apenas apreciou sua forma feminina, como também a fé e a virtude em seu coração. Então, ele convidou Rute para participar das refeições dos ceifeiros e, obviamente, providenciou para que seus trabalhadores deixassem uma quantidade suficiente de grãos onde Rute estava recolhendo, e também cuidassem de sua segurança. Considerando como Boaz cuidou de Rute e a protegeu, não surpreende que ela tenha dado seu coração a ele. É assim que um marido ama sua esposa. Ele faz com que ela se sinta amada, e ela responde de volta a ele com amor.

Mais tarde, no festival da colheita, a sogra de Rute, Noemi, orientou-a sobre o que deveria fazer. Depois que Boaz compareceu ao banquete e foi se deitar em um fardo de grãos, "chegou ela de mansinho, e lhe descobriu os pés, e se deitou". Quando Boaz acordou, encontrou-a deitada a seus pés. "Quem és tu?", perguntou ele. E ela respondeu: "Sou Rute, tua serva; estende a tua capa sobre a tua serva, porque tu és resgatador" (Rt 3.7-9). Não devemos ler nada sexual nessa ação. Pelo contrário, é a representação vívida do amor de um homem piedoso por uma mulher encontrando resposta por parte dela, que lhe entrega seu coração. Rute estava se colocando sob a autoridade de Boaz e oferecendo-lhe seu amor. "Estende a tua capa sobre a tua serva", disse ela, expressando belamente o desejo de uma mulher pela provisão e a proteção de um homem. E note o que a atrai nele: "porque tu és resgatador".

Não é exagero entender como se Rute dissesse a Boaz: "Você é como Cristo para mim". Não "você é Cristo", mas "você é *como* Cristo". É exatamente assim que uma esposa deve relacionar-se com o marido: "porque o marido é o cabeça da mulher, como também Cristo é o cabeça da igreja, sendo este mesmo o salvador do corpo" (Ef 5.23). Ela deve ver seu marido como um homem que se sacrifica para ela poder viver — para que seu coração seja mantido em segurança e floresça com graça sob seu amoroso cuidado. Uma esposa é o jardim que um marido piedoso "cultiva e guarda", e seu crescimento em beleza espiritual deve estar entre seus maiores deleites.

Garantia de bênção

No próximo capítulo, veremos o ministério do homem como pai de seus filhos. Mas devemos concluir nossos estudos sobre o casamento observando a forte sinergia entre ser um marido semelhante a Cristo e ser um pai piedoso.

Talvez não haja nada mais poderoso na vida dos filhos do que seus pais vivenciarem um casamento piedoso e cheio de graça. Quanta bênção é para meninos e meninas crescerem com sua mãe respeitando seu pai, e seu pai provendo nutrição e proteção à sua mãe! Mas há outra bênção nisso tudo. Por meio de nossa obediência à Palavra de Deus, podemos estar certos de sua bênção sobre nossa família.

Assim foi com Boaz e Rute depois de seu casamento. O livro de Rute termina com um breve resumo de sua árvore genealógica. Seu filho se chamou Obede, que "gerou a Jessé, e Jessé gerou a Davi" (Rt 4.17). Por meio dos filhos de Boaz e Rute, viria o rei para o povo de Deus e, por meio de sua linhagem, nasceria o Filho de Deus.

Como é maravilhoso que o amor piedoso de um homem por sua esposa, de acordo com a Palavra de Deus e expresso em nome de Deus, receba sua bênção de modo a deixar um poderoso legado espiritual (independente de terem filhos, a propósito)! Para Boaz e Rute, começou nos campos de grãos, onde Boaz a viu e ofereceu amor bíblico e viril. Pode começar em nossas casas hoje, se nós, como homens, estivermos dispostos a nos achegar ao Senhor e buscar sua graça para começar a amar nossas esposas e prover a graça redentora de Cristo ao nosso lar. Não somos substitutos de Jesus, nem podemos ser. Mas nossas esposas, recebendo de nós o amor de Cristo, devem ser capazes de dizer o que Rute respondeu a Boaz: "estende a tua capa sobre a tua serva, porque tu és resgatador".

Questões para reflexão e discussão

- Por que é tão importante que o marido lidere o casamento e o lar? O que acontece com uma esposa quando o marido não lidera? O que acontece com um homem quando não está liderando sua casa?
- Por que as palavras encorajadoras do marido são tão importantes para uma esposa? O que há, na estrutura de uma mulher, que faz com que a atenção e a nutrição dada pelo marido sejam tão importantes para ela? Quais de seus comportamentos sua esposa diria que a fazem sentir querida? Existe uma razão pela qual você não consegue fazer essas coisas regularmente?
- Quais tipos de pecados dos maridos tendem a fazer as esposas se sentirem inseguras? Para qual de seus pecados você precisa morrer pelo bem de sua esposa?
- O que você acha da declaração de Rute a Boaz: "tu és resgatador"? De que maneira essa descrição é apropriada a qualquer marido cristão? De que maneira você pode representar melhor a Cristo como cabeça de sua casa e casamento?

Capítulo 9
Cultivar:
o discipulado dos filhos

Um lamento comum aos pais cristãos é algo geralmente assim: "Pastor, não sei como isso aconteceu. Ele frequentou a igreja durante toda a sua vida. Nós o levamos para a escola dominical e para a Escola Bíblica de Férias, e ele estudou em uma escola cristã. Monitoramos seus amigos para garantir que viessem de boas famílias, e até demos palmadas nele quando era pequeno. Achava que essas coisas impediriam que isso acontecesse!".

Nessa história tão familiar, o filho ou a filha pode ter-se envolvido com drogas, engravidado ou abandonado a fé. A premissa do pai era que fornecer uma estrutura cristã aos filhos seria suficiente para garantir sua piedade. Se apenas pudermos controlar a escola, a igreja, os livros, os amigos, o uso da televisão e do computador, creio que podemos garantir uma fidelidade cristã abrangente.

Essa crença é falsa. Segui-la é a receita para um desastre em potencial.

O pai e o mandato masculino

Como espero que esteja claro a esta altura, a principal premissa deste livro é que o mandato de Gênesis 2.15 resume nossa vocação como homens em nossos diversos papéis. Deus colocou Adão no jardim "para o cultivar e o guardar", e a única diferença entre o chamado de Adão e o nosso está nos detalhes de como procuramos cumpri-lo.

Até agora, expus o fundamento doutrinário para essa posição e desenvolvi o tema dentro do casamento, no qual uma mulher deve ser edificada e protegida por seu marido. Mas esse mandato se aplica ao chamado de um homem como pai? Certamente. De fato, de acordo com a Bíblia, as duas principais obrigações da paternidade são nutrir (cultivar) e proteger (guardar). Um homem é chamado a trabalhar o coração de seus filhos para que eles possam tornar-se solo fértil para o evangelho e a devoção a Cristo. E um homem é chamado a guardar e proteger seus filhos das influências do pecado — no mundo e em seus próprios corações —, para que os esforços para atrair o coração desse jovem a Cristo não sejam desperdiçados.

É bom — e até mesmo necessário — que os pais cristãos forneçam uma estrutura espiritual sólida e saudável a seus filhos. Mas não há substituto para os pais, que, por um lado, discipulam pessoalmente os filhos no Senhor e, por outro, os disciplinam conforme necessário. Observe a diferença: a *disciplina* (abordada no próximo capítulo) é essencial como um ato de guardar. Mas não pode substituir o *discipulado*, o ato de cultivar, o processo de criar laços com nossos filhos, de modo a guiar seus corações pessoalmente para a fé em Jesus.

"Dá-me, filho meu, o teu coração"

Se eu tivesse de selecionar apenas um versículo sobre a criação de filhos do livro de Provérbios — nossa principal fonte de sabedoria bíblica sobre esse assunto —, seria Provérbios 23.26. Aqui, temos o próprio pulso do ensino da Bíblia sobre o relacionamento de um pai com seus filhos, incluindo o relacionamento de Deus, o Pai, conosco, seus filhos em Cristo. Esse versículo fornece a perspectiva por trás de toda a sabedoria passada de pai para filho nos Provérbios. Nele, o pai simplesmente pede: "Dá-me, filho meu, o teu coração". Essa é a principal aspiração de um verdadeiro pai em relação a seus filhos. Todos os conselhos e comandos encontrados em Provérbios fluem dessa grande paixão: o desejo de um pai amoroso pelo coração de seu filho, para que o coração desse filho seja entregue ao Senhor.

O coração, claro, é a chave de tudo. "Sobre tudo o que se deve guardar, guarda o coração", lemos, "porque dele procedem as fontes da vida" (Pv 4.23). Biblicamente, o coração é a totalidade do interior da pessoa, incluindo pensamentos, desejos, afeições e vontade. O coração é quem somos por dentro — a pessoa verdadeira, essencial; a pessoa que Deus quer possuir completamente. Um pai sábio quer alcançar o coração de seu filho, desejando que esse coração seja voluntariamente oferecido tanto a ele como pai terreno como a Deus como Pai celestial.

Observe cuidadosamente que o provérbio não diz: "Dá-me, filho meu, o teu comportamento". Não é difícil para nós usar a autoridade para que nossos filhos nos obedeçam externamente sem nos entregar o coração. De fato, cairemos exatamente nesse nível superficial de liderança paterna se não buscarmos ativamente um resultado diferente e melhor.

Tampouco o provérbio diz: "dá-me, filho meu, a tua presença física", como se tudo o que importasse fosse colocar a criança nos lugares certos, nos momentos certos. Adoração, por exemplo, é muito mais do que estar fisicamente presente na igreja no domingo de manhã, embora muitos pais se contentem com tão pouco de seus filhos.

Este, portanto, é o propósito do discipulado dos pais: ministrar aos corações dos filhos, de modo a ganhar um relacionamento de amor com eles e um laço compartilhado de fé em Jesus Cristo. Um pai pode passar anos proporcionando a seu filho estrutura cristã de igreja, escola dominical, educação cristã etc. Se, então, ele ficar desamparado porque seu filho adulto se rebelou, o que terá dado errado? Com frequência, a resposta é que ele nunca tentou ganhar o coração do filho — e, como nunca tentou, nunca o ganhou.

Portanto, a grande questão do discipulado dos pais é direcionar o coração dos filhos ao Senhor. Em vez de um mero foco no comportamento ou na presença física, pais sábios e amorosos procuram tocar e conquistar o coração de seus meninos e meninas.

A questão é: como? Primeiro, entenda que o coração — até mesmo o coração de uma criança — só pode ser dado livremente, nunca pode ser realmente tomado. Em parte, portanto, trata-se da liderança do pai pelo exemplo. Devemos começar dando aos nossos filhos o que desejamos receber deles. Antes de termos o direito de solicitar, de maneira convincente, "dá-me, filho meu, o teu coração", deve estar evidente para a criança que nós já lhe demos o nosso.

Dê-lhes seu coração

Quando um pai dá seu coração ao filho, esse não é um evento único, mas uma demonstração contínua de amor, paciência, graça, misericórdia e dedicação ao longo do tempo.

Nossos filhos devem ganhar de nós o que mais desejam: nossa afeição, nossa aprovação, nossa atenção, nosso envolvimento e nosso tempo. Em geral, isso requer que resistamos às atrações de outras paixões. Como temos tempo e energia limitados, também dispomos de um amor limitado e de uma esfera limitada de coisas às quais podemos dar nossos corações. Assim como muitas mães devem deixar de lado outras paixões e preferências para servir a seus maridos e filhos, a maioria dos pais terá de conter ou deixar de lado as ambições de carreira ou os passatempos que não envolvam seus filhos e, na verdade, grande parte de suas vidas fora de sua família. Esse é o requisito para ter tempo e paixão disponíveis para dar nossos corações aos nossos filhos (e também às nossas esposas).

Penso muito a esse respeito porque sou o tipo de pessoa zelosa que faz coisas como escrever este livro. Pastoreio uma congregação ativa e viajo um pouco para pregar. Sem problemas, desde que isso não me impeça de dar meu coração à minha esposa e aos meus filhos.

É possível que um pai tenha uma vida de trabalho ativa, zelosa e produtiva, e ao mesmo tempo mantenha relacionamentos fortes e de coração com seus filhos? A resposta é "sim". Tudo depende do coração do pai. Ele está conectado com o que está acontecendo no íntimo de seu filho? Ele demonstra interesse e consegue tempo para deixar seus filhos contarem suas histórias intermináveis sobre o que estão fazendo? Se um pai pratica sinceramente os quatro passos que proponho adiante neste capítulo — ler, orar, trabalhar e brincar —, acredito que será capaz de levar uma vida profissional bastante ativa sem prejudicar seu relacionamento com os filhos. Mas, se o pai frequentemente diz "sinto muito, não tenho tempo", a criança inevitavelmente apontará seu coração para outro lugar — algum lugar em que haja interesse, atenção e empolgação com a sua vida. É exatamente a necessidade profunda de uma criança por um senso de pertencimento que explica muitos dos problemas dos jovens — desde drogas e gangues até confusões românticas prematuras.

Exemplo de um pai

O ano de 1972 foi grandioso para mim, por dois motivos. Naquele ano, completei 12 anos e entrei na sexta série na escola. Mais importante, porém, foi o fato de que meu pai passou o ano inteiro no Vietnã. Ele já havia ficado longe para manobras ou missões breves de cerca de um mês. Ele até já fizera uma viagem mais longa ao Vietnã, embora eu fosse bem mais novo naquela época e não tivesse notado sua ausência tão profundamente. Mas, dessa vez, meu pai estaria na guerra durante um de meus anos mais estruturantes.

Que lacuna a ausência do meu pai deixou na minha vida e nas de minha mãe e de meu irmão! Tenho muitas lembranças tristes desse ano. Vivíamos em constante temor pela vida de meu pai, um medo tornado muito mais real porque os pais de muitos amigos já haviam morrido no Vietnã.

Mas nem todas as memórias são tristes. Uma das lembranças mais poderosas é a emoção das cartas que eu recebia de meu pai quase toda semana. Ele e minha mãe se correspondiam praticamente todos os dias, e nossa família fazia gravações em fita cassete para enviar a ele todo fim de semana (quanta diferença a internet deve fazer para as famílias de militares hoje!).

Ainda hoje, lembrar-me das cartas pessoais de meu pai praticamente me leva às lágrimas. Ele começava simplesmente me contando sobre sua vida. Não grandes questões militares, mas "coisas legais" que aconteciam ou que ele via. Então, ele conversava comigo sobre minha vida, escrevendo coisas assim:

> Caro Ricky... Ouvi dizer que você fez um ótimo jogo de beisebol e fez uma ótima jogada. Sua mãe me contou como foi emocionante quando você ganhou. Como eu gostaria de ter estado aí, mas posso ver você fazendo essa jogada em minha mente...

Você consegue ver o que ele estava fazendo? Meu pai estava me dizendo que eu era o seu garoto, e que seu coração estava totalmente envolvido comigo, mesmo do outro lado do mundo. Eu sabia que ele falava isso de coração, porque aquelas cartas simplesmente mantiveram o relacionamento próximo que tínhamos antes de ele ser convocado. Mas não se engane; havia repreensões também, pois eu era um menino de 12 anos que estava temporariamente sem pai em casa:

> Caro Ricky... Fiquei muito descontente ao ouvir que você tem respondido à sua mãe ultimamente. Você sabe que, enquanto estou servindo ao nosso país, conto com você para ser um filho obediente...

As cartas de meu pai discutiam tudo na minha vida: escola, igreja, esportes e vida doméstica, com os detalhes fielmente relatados a ele por minha mãe. No meio de uma zona de guerra com risco de morte, com todas as pesadas responsabilidades de um alto oficial do Exército, meu pai estava realmente imerso em minha vida. E eu sabia disso. Então, quando ele de fato me disse: "Dá-me, filho meu, o teu coração", ele já dera cada pedacinho de seu coração para mim, seu garoto. Eu não tinha como não dar meu coração a ele em resposta.

Fui muito próximo de meu pai até o dia em que ele foi para o céu. Tive o privilégio de estar ao seu lado lendo salmos em voz alta quando ele partiu desta vida. Quando ele foi sepultado no Cemitério Nacional de Arlington, meu irmão e eu fizemos uma homenagem, contando quanto privilégio e quanta bênção estavam envolvidos no fato de termos sido filhos desse homem excelente. Jamais esquecerei o encontro com muitos de seus antigos amigos do Exército depois disso. Um deles, um general que conheci muito bem quando era mais novo, olhou-me bem nos olhos e disse: "Eu daria qualquer coisa para que meu filho falasse no meu funeral da maneira como você falou sobre o Dave hoje". Não tive coragem de responder honestamente, pois o conhecia e conhecia seu filho. Seu filho nunca falaria sobre ele do jeito que eu falara do papai porque ele não dera seu coração a seu filho, e o coração de seu filho estava amargamente longe dele. Não faria sentido dizer isso ao general, mas eu oro para nunca me esquecer disso no que concerne aos meus próprios filhos.

Quatro maneiras de alcançar o coração de uma criança

Naturalmente, não é qualquer envolvimento paterno que consegue alcançar o coração de nossos filhos. Para realmente abrir o coração de uma criança, o pai deve observar o modelo de cultivar e guardar de Gênesis 2.15. Deve haver o *cultivo*, quando um pai nutre e desenvolve o solo do coração de seu filho. E deve haver a *guarda*, a correção que, como veremos no capítulo seguinte, deve ser exercida em um relacionamento de alegria e amor.

Fico constantemente admirado com o número de pessoas que me asseguram que seus pais raramente as elogiavam, mas constantemente as criticavam e repreendiam. Sempre encontro pessoas que me dizem que seus pais puseram em suas cabeças que elas eram perdedoras que nunca teriam sucesso. Mal consigo imaginar o que seja isso. Há limites no que um pastor pode fazer para remediar uma criação assim, e o melhor a fazer é remeter essa pessoa ao amor verdadeiramente curativo de nosso Pai celestial, que pode fazer muito mais do que qualquer homem. Mas, como pais, podemos assegurar que nossos próprios filhos sejam criados com o rico fertilizante do afeto e da estima paternal.

Um pai piedoso planta coisas boas no coração de seus filhos. Ele planta:

- As sementes de sua própria fé em Cristo.
- Um anseio por verdade e bondade.
- Suas esperanças e sonhos com a pessoa piedosa que a criança se tornará.
- Sua própria confiança de que a criança tem toda a capacidade e habilidade necessárias para servir a Deus fielmente de qualquer maneira que ele genuinamente a chamar.

Um pai piedoso trabalha esses aspectos no solo do coração de seu filho compartilhando seu próprio coração, ouvindo e moldando o coração da criança e regando essas plantas tenras com amor e fé.

No cerne da paternidade piedosa, está exatamente esse tipo de ênfase em compartilhar seu próprio coração e desenvolver o coração de seu filho. O que podemos fazer para construir tal vínculo entre pai e filho? Com frequência, observa-se, com razão, que o "tempo de qualidade" não pode substituir o tempo em *quantidade*. Então, que tipos de tempo em quantidade os pais devem gastar com seus filhos?

Tenho uma abordagem para isso que envolve quatro categorias simples: *ler, orar, trabalhar* e *brincar*. Ou seja, quero forjar um relacionamento com cada um de meus filhos enquanto lemos a Palavra de Deus juntos, oramos juntos, trabalhamos juntos e brincamos juntos.

Ler

Em primeiro lugar, vem o ministério paterno da Palavra de Deus. Simplesmente não há o que substitua o ato de nossos filhos ouvirem a Palavra de Deus lida por nossos lábios, com suas doutrinas explicadas claramente, para que possam entender, e a mensagem aplicada a seus corações. (Isso não significa denegrir o ministério materno das Escrituras, igualmente importante.)

Não basta os pais enviarem seus filhos à igreja, à escola dominical, ao acampamento cristão ou à escola cristã particular. Você deve ler pessoalmente a Bíblia para seus filhos. Obviamente, nossos filhos devem ver alguma correspondência entre a Bíblia e nossas vidas. Mas, mesmo enquanto trabalhamos em nosso próprio crescimento cristão, devemos ler a Palavra de Deus para nossos filhos, na companhia deles.

A Palavra de Deus é "viva e eficaz" (Hb 4.12). Ela dá vida aos corações crentes (Is 55.10-11) e traz luz aos olhos e sabedoria à alma (Sl 19.7-9). As Escrituras Sagradas devem constituir uma parte regular de nossa conversa, de modo que as famílias não leiam a Bíblia apenas como uma espécie de ritual, mas estudando e discutindo em conjunto seu ensino vivificante.

Se não conseguimos tempo para ler a Bíblia juntos, como família, devemos refletir seriamente sobre nossas prioridades. Atualmente, a maioria dos cristãos não cresceu em lares que faziam devocionais familiares, mas é imperativo o resgate dessa prática de piedade familiar. Não precisamos de nada muito elaborado, como se alguém da igreja fosse nos avaliar. A família pode simplesmente se reunir para uma leitura da Palavra de Deus ou de um bom livro devocional com ensino bíblico, seguido de discussão e oração (é ainda melhor se a família puder cantar junto.)

Para algumas famílias, esse tempo acontece mais naturalmente no café da manhã e para outras, durante ou após o jantar. Uma reunião mais prolongada para o culto familiar pode ocorrer uma vez por semana, porém devocionais breves devem ocorrer mais ou menos diariamente. O pai não precisa ser um estudioso da Bíblia, mas deve ler e ensinar as Escrituras a seus filhos. E, ao fazer isso com fé, a Palavra de Deus ligará os corações dos pais e dos filhos na unidade da verdade.

Orar

Outra maneira de os homens cultivarem o jardim sob seus cuidados é por meio de um ministério de oração. Isso é feito quando os pais criam laços com seus filhos orando por eles e com eles.

A oração, como a Escritura, é um elemento absolutamente inegociável da paternidade fiel, comunicando nosso amor sincero ao coração de nossos filhos e mostrando-lhes nossa confiança na soberana provisão de graça do Senhor. Nossos filhos precisam crescer ouvindo a mãe e o pai orando por eles, e precisam ter experiências frequentes de oração com seus pais. Naturalmente, boa parte dessa oração envolverá adoração a Deus e intercessão por aqueles que estão fora da família. Mas os pais devem orar pelas necessidades específicas de seus filhos — as coisas que, naquele momento, estão perturbando seus corações —, e seus filhos precisam ouvir essas orações sinceras. Isso significa que temos de conhecer nossos filhos, incluindo os fardos que estão enfrentando — pressão dos colegas, preocupação com a saúde, ansiedade em relação a provas ou dificuldades com os amigos.

Um dia, minha filha e eu estávamos conversando sobre uma provação que pesava muito em seu coração. Ela expressou sua frustração não apenas com a situação, mas com Deus, exclamando: "Papai, eu *sei* que você está orando por mim, então por que Deus não responde às suas orações?". Como foi encorajador ver que minha filha havia notado meu ministério de oração por seu coração; aquela era uma questão com a qual eu estava feliz em lidar.

Devemos também ser abertos com nossos filhos sobre a necessidade de orarem por *nós*. Às vezes, isso envolve questões de adultos, em que as crianças não devem preocupar-se com detalhes. Mas eles podem saber das questões básicas, como: "Papai está enfrentando decisões pastorais difíceis, por isso precisamos orar para que Deus o ajude e dê sabedoria". Ou: "Papai está lidando com um problema no trabalho que requer a orientação e a direção de Deus". Qualquer relacionamento real é uma via de mão dupla, e um relacionamento próximo com nossos filhos envolverá nossos pedidos para que orem por nossas próprias necessidades reais.

Trabalhar

Terceiro, se eu quiser me aproximar de meus filhos, preciso trabalhar com eles. Com isso, quero dizer ajudá-los em quaisquer tarefas ou projetos que estejam diante deles.

A respeito de trabalhos escolares, os pais devem expressar mais do que altas expectativas e demandas. Devemos também estar envolvidos no estudo de nossos filhos, ajudando-os onde eles têm problemas e fornecendo apoio geral e encorajamento.

Outras áreas de empenho também devem ser de sincero interesse e preocupação dos pais. De maneira genuína, precisamos apoiar esses interesses expressos através de ações concretas. Isso pode significar preparar convites para uma festa de aniversário, contribuir com um caderno de desenhos ou ajudar um garoto a fortalecer seus braços, porque ele quer ser arremessador de beisebol. Quanto mais nos envolvermos nas atividades de nossos filhos de forma encorajadora e estimulante, mais suas vidas estarão entrelaçadas às nossas em um vínculo de amor.

A via de mão dupla relacional também se aplica aqui. Tanto quanto possível, precisamos envolver nossos filhos em nosso próprio trabalho. Isso provavelmente não significa nosso emprego formal, mas envolve tarefas domésticas, trabalho no quintal e manutenção doméstica básica. Meus filhos, especialmente os meninos, adoram me ajudar nas tarefas da casa. Como não sou particularmente perito nessa área, é um desafio à minha paciência envolver crianças que são ainda menos competentes. Levar o tempo necessário para incluí-los e ensiná-los torna tudo ainda mais lento e mais difícil. Mas e daí? Muito mais importante do que o ritmo do progresso é o relacionamento com meus filhos, que está sendo fortalecido quando trabalhamos juntos.

Brincar

Por fim, os pais devem brincar com os filhos e tê-los por perto. Isso envolve agachar-se para brincar com eles e convidá-los para nossos jogos. Resumindo, as famílias precisam compartilhar momentos divertidos e alegres.

Isso era mais difícil quando meus filhos eram muito pequenos, porque eu sentia dificuldade de brincar com seus brinquedos de crianças pequenas (isso, sem dúvida, revela uma deficiência da minha parte). Mas, à medida que foram crescendo, passei a considerar alguns de seus brinquedos um pouco mais interessantes. Para os meninos, isso representa principalmente Lego e os videogames a que recebem acesso. Eu preciso saber e estar "por dentro" de todos os veículos de Lego que eles fazem (naves de Star Wars, principalmente), deixando-os explicar todos os detalhes de suas criações. Também preciso saber o suficiente sobre seus videogames para poder acompanhar (mais ou menos) suas conversas sobre esses assuntos. Preciso constantemente aprimorar minhas habilidades nos jogos e buscar a maior pontuação na última versão do *Mario* que eles estejam curtindo? É claro que não. Mas, para mim, é importante dar alguma atenção a esses jogos que meus garotos adoram e reservar algum tempo para brincar com eles.

O mesmo acontece com as filhas. Naturalmente, algumas brincadeiras de meninas não são muito atrativas para os pais, mas nós devemos ter um grande interesse em saber o que nossas filhas estão fazendo e deixá-las se divertir nos contando sobre suas bonecas e casinhas. É assim que nos tornamos parte de seu mundo de uma maneira que atrai seus corações para nós.

À medida que as crianças vão crescendo, acredito firmemente que toda a família deve brincar em conjunto dentro de casa e ter momentos de lazer ao ar livre como uma família. Essas brincadeiras criam experiências compartilhadas que são interessantes e divertidas, e unem nossos corações como uma família.

Os pais também precisam convidar seus filhos para seu próprio lazer (o que pressupõe que não devemos ter interesses que nos atraiam para o pecado). Por exemplo, eu sou torcedor do Boston Red Sox desde pequeno, mas havia deixado de acompanhar beisebol por mais de dez anos, principalmente por falta de tempo. Quando meus garotos chegaram ao ensino fundamental, no entanto, renovei meu interesse pelos Red Sox para poder compartilhá-lo com meus filhos — agora, as meninas também estão envolvidas. Isso nos proporciona algo a compartilhar e, em quase todas as noites de verão, checamos os placares para ver como nosso time está indo. Seguimos os jogadores que gostamos e curtimos seus altos e baixos como torcedores dedicados, experimentando tudo isso juntos.

Esta é a minha agenda simples para garantir que estou ativa e intimamente envolvido na vida de meus filhos: ler, orar, trabalhar e brincar. Devo ler a Palavra de Deus para e com meus filhos regularmente. Devemos carregar os fardos uns dos outros em oração e adorar o Senhor juntos em seu trono de graça. Meus filhos precisam do meu envolvimento positivo e encorajador em seus trabalhos (e precisam participar de um pouco dos meus). E nós precisamos ligar nossos corações com risos e alegria em brincadeiras compartilhadas, tanto particularmente como na condição de uma família completa. Tudo isso requer tempo, pois o tempo é a moeda com a qual eu compro o direito de dizer: "Dá-me, filho meu, filha minha, o teu coração".

Diferentes épocas, um objetivo

Quando os filhos são pequenos, os pais lhes dizem o que fazer e os filhos são chamados a obedecer. Mas, à medida que nossos filhos vão crescendo, nosso poder sobre eles cada vez mais consiste em influência, e não em autoridade. O avanço pela adolescência e a idade adulta jovem requer que nossos filhos assumam cada vez mais responsabilidade por suas ações, fazendo escolhas e tomando decisões de acordo com o que pensam e desejam, e não com o que lhes dizemos. É claro que isso também exige que nós, pais, mudemos, afrouxando, gradativamente, nossa influência e mudando de ordenar para orientar — do poder de comando à influência de um conselho cuidadosamente cronometrado e escolhido.

Meu ponto aqui não é apenas encorajar pais de filhos mais velhos a deixar seus filhos gradualmente tomarem decisões de forma independente (mas, se o conselho for apropriado à sua situação, fique à vontade para segui-lo). Estar atento a essa transição é certamente importante para os pais de filhos mais velhos. Mas essa atenção é ainda mais importante no caso de pais de crianças pequenas.

A época da criação de filhos pequenos é fugaz, porém vital. Eu sei que, às vezes, pode parecer que esses primeiros anos duram para sempre, mas isso não é verdade. Em pouco tempo, seus filhos naturalmente começarão a se mover para além da influência de sua autoridade, e é exatamente assim que deve ser. No momento em que isso acontece — e, na verdade, começa bastante cedo —, sua oportunidade de conquistar seus corações começa a diminuir, desaparecendo gradativamente a cada dia.

Ao anteverem essa transição, os pais devem trabalhar para estreitar o vínculo de um relacionamento amoroso durante todos os anos da infância. O tempo para imprimir na criança a importância central das Escrituras não é no ensino médio, mas na pré-escola. Da mesma forma, o tempo gasto na construção de boa vontade e confiança durante os anos de educação básica de uma criança pode ter importância vital para os primeiros anos de vida adulta, quando a mente de nossos filhos pode ficar confusa e desorientada pela mudança.

Lembro-me bem da influência do meu relacionamento com meus pais durante o ensino médio. Por causa de seu investimento em mim durante toda a minha vida, eu era bem próximo deles. Então, como um jovem ingênuo, minha identificação com seus valores e meu desejo de não decepcioná-los desempenharam papel importante em dirigir e restringir meu comportamento. "Dá-me, filho meu, o teu coração", disse o sábio. A criança que faz isso com sinceridade é aquela que confia em seus pais, que os admira e ama — e, portanto, tem maiores chances de passar pelas pressões e provações da adolescência com segurança.

Um dia, seus filhos encontrarão tentações e ataques espirituais de poder substancial fora de casa. A cultura jovem nociva que eles descobrirão pode representar uma ameaça e esmagar à força o desejo de qualquer criança de não decepcionar seus pais. Mas nós temos uma esperança maior. A paixão pela glória de Jesus e a consciência viva da realidade do evangelho fornecerão aos nossos filhos capacidades ofensivas e defensivas que, de outra forma, eles nunca possuiriam. É por isso que a maior, mais poderosa e mais valiosa paixão que um pai pode dar a seus filhos é a paixão pelo Senhor e por seu evangelho da graça.

A razão definitiva pela qual desejamos que nossos filhos nos deem seus corações é para que possamos guiá-los a Jesus. Esse é nosso objetivo na leitura da Bíblia, na oração e na vida familiar. Quanto mais pudermos transmitir nossa própria paixão e alegria no Senhor — quanto mais nossos filhos puderem ver a realidade e o poder da graça de Deus expressos em nossa vida de compaixão, alegria e santidade —, mais atraente Jesus será para nossos meninos e meninas. Devemos levar nossos filhos ao Senhor para que eles tenham a oportunidade de ouvi-lo dizer: "Vinde a mim" (Mt 11.28). Devemos deixá-los ver a luz de Jesus em nossas vidas, em nossas mentes e na paixão de nossos corações. Porque, como Jesus disse, se nossos filhos o virem como a luz do mundo e o seguirem, não andarão nas trevas; pelo contrário, terão a luz da vida (Jo 8.12). Este é nosso objetivo final, além da maior motivação para os pais abrirem seus próprios corações ao Senhor: que Jesus pareça atraente e convidativo através de nós.

Questões para reflexão e discussão

- Qual é a diferença entre discipulado e disciplina? Como esses conceitos se relacionam? Por que ambos são absolutamente necessários na educação cristã dos filhos?
- Por que o pedido do pai pelo coração de seus filhos é a chave para a educação cristã (Pv 23.26)? Como sua experiência na infância influenciou seu pensamento a esse respeito? Existem barreiras em seu coração que o impedem de oferecer seu coração a seus filhos?

- Se compararmos o papel de um pai com seus filhos ao trabalho de um jardineiro com as plantas, como isso ajuda você a pensar sobre seu chamado como pai?
- Você acha que estas quatro palavras — *ler, orar, trabalhar* e *brincar* — ajudam na estruturação do tempo com seus filhos? Qual delas é mais desafiadora para você?
- Você assumiu compromisso com a adoração em família, envolvendo a leitura das Escrituras e a oração? Por que isso é tão importante?
- Como você pode mostrar sua paixão por Jesus aos seus filhos? Como você pode tornar o Senhor atraente para eles?

Capítulo 10
Guardar: A disciplina dos filhos

O que você pensaria de um pai que foi responsável por criar os seguintes filhos?

- Um filho abusa sexualmente de sua meia-irmã e é assassinado por seu irmão em retaliação.
- Esse filho assassino passa a liderar uma rebelião contra seu pai e é violentamente morto como resultado.
- Mais tarde, um terceiro filho levanta rebelião contra seu pai e um quarto irmão, o herdeiro designado.

Não é exatamente um modelo de família, certo? Onde estão o amor e o respeito pelo velho pai? Você consideraria o pai desses malfeitores um modelo de liderança espiritual? Ou mesmo um cara mais ou menos decente?

Se você conhece bem a Bíblia, reconhece que esse é um breve resumo da história dos filhos do rei Davi. Sim, o homem que agrada a Deus (1Sm 13.14), autor de pelo menos 75 salmos. *Aquele* rei Davi. De fato, se olharmos para os grandes homens da Bíblia, o que lemos sobre seus filhos é quase unanimemente lamentável. Os filhos de Jacó odiavam tanto seu irmão José que queriam assassiná-lo — até que perceberam que poderiam livrar-se dele e obter lucro simplesmente vendendo-o à escravidão (ver Gn 37.18-28). Hofni e Fineias, filhos do sumo sacerdote Eli, estavam envolvidos em constantes pecados sexuais tão flagrantes e escandalosos que eram conhecidos publicamente entre os israelitas, e abusavam dos sacrifícios de animais do tabernáculo em Siló para ganho pessoal (ver 1Sm 2.22-23, 27-29). Eles foram tão perversos que Deus destruiu toda a sua casa. Os filhos do profeta Samuel eram tão corruptos que os anciãos de Israel pecaram, exigindo um "rei como os das nações", em vez de se submeterem à sua liderança (1Sm 8.1-5). Mesmo o grande rei Josafá, um de meus heróis pessoais, cometeu o erro clássico de permitir que seu filho Jeorão se casasse com uma filha dos terríveis Acabe e Jezabel, e o resultado previsível foi que Jeorão "andou nos caminhos dos reis de Israel, como também fizeram os da casa de Acabe" (2Rs 8.18).

Pior ainda é o caso do filho do rei Ezequias. Lembra-se de Ezequias? Ele foi o grande rei que orou ao Senhor durante o cerco de Senaqueribe, de modo que o exército assírio foi completamente exterminado fora das muralhas de Jerusalém (2Rs 19). O filho dele? Ninguém menos que o Adolf Hitler do Antigo Testamento, o rei Manassés, o líder perverso que colocou estátuas de Moloque no vale de Cedrom para tornar o sacrifício de crianças mais acessível a toda a nação. Depois, houve o grande rei reformador, Josias, o último rei justo de Judá. Ele foi o último rei justo porque todos os seus três filhos governaram *in*justamente: Jeoacaz, Jeoaquim e Zedequias.

O que acontece com os filhos desses heróis? Parte da resposta, sem dúvida, é que homens grandes e poderosos normalmente não têm tempo suficiente para conquistar o coração de seus filhos, então os filhos dos reis muitas vezes se tornam príncipes mimados e corruptos. Outra questão era a prática da poligamia no Antigo Testamento, que resultava em filhos de reis envolvidos nas rivalidades e rixas de suas mães inevitavelmente inseguras. Mas como a família de Davi conseguiu ser a pior de todas? Como pode um grande herói da Bíblia como o rei Davi vivenciar uma confusão tão colossal entre seus filhos? A Bíblia responde claramente, dizendo sobre Adonias (o terceiro filho no cenário descrito acima): "Jamais seu pai o contrariou, dizendo: Por que procedes assim?'" (1Rs 1.6).

Aí está. Davi falhou em disciplinar seus filhos pessoalmente, nunca se envolvendo na supervisão de sua conduta adequada. O verso diz "jamais", não diz "a todo momento". Com isso, vemos que Davi praticamente garantiu que seus filhos se arruinassem. É claro que a ruína, ainda que surja repentinamente, decorre de uma série de eventos prejudiciais que se acumulam com o tempo. Como um pai deve minimizar esses danos na vida de seus filhos? A resposta é o chamado do pai para *guardar* seus filhos por meio da disciplina amorosa que os preserva do mal.

O chamado para guardar o coração da criança

De acordo com a Bíblia, a ameaça mais grave que nossos filhos enfrentam não é física — algum acidente ou agressão (embora esses, obviamente, possam ser perigos reais). A ameaça mais grave é espiritual — a terrível ameaça do poder do pecado em ação em seus próprios corações. A cultura jovem nociva que observamos no capítulo anterior, por exemplo, é uma ameaça apenas porque nossos filhos têm uma natureza pecaminosa que os torna suscetíveis à influência do pecado. Como Davi lamentou: "Eu nasci na iniquidade, e em pecado me concebeu minha mãe" (Sl 51.5). Ainda que as aparências indiquem o contrário, nossos filhos não nascem "anjinhos", mas pequenos pecadores. Ted Tripp discorre a respeito: "Existem coisas, dentro do coração do mais doce bebezinho, que, ao permitir-se brotar e crescer à plenitude, acarretam sua eventual destruição".[15]

Mais uma vez, tudo se resume ao coração. Por causa de nossa natureza pecaminosa, nosso coração representa uma ameaça para nós por si mesmo. Além disso, as influências externas podem causar-nos dano apelando para o poder do pecado dentro de nós. Mas, se tratarmos o problema *interno* do pecado de um jovem — seu coração —, também enfraqueceremos o poder dos problemas *externos* do pecado. Se nosso mandato para cultivar o jardim da vida de uma criança tem por objetivo obter acesso ao seu coração e, assim, direcioná-lo a Cristo, então não causa surpresa que nosso mandato para guardar consista em proteger esse coração de procurar satisfazer seus próprios desejos pecaminosos.

Busque obediência

A autoridade dos pais para guardar, portanto, tem a obediência dos filhos como seu objetivo imediato e urgente. Em contraste com os valores amplamente pregados hoje em dia, a Bíblia ensina que os filhos devem obedecer a seus pais (Ef 6.1) e os pais, por sua vez, devem governar seus filhos. Deus disse a respeito de Abraão: "Porque eu o escolhi para que ordene a seus filhos e a sua casa depois dele, a fim de que guardem o caminho do SENHOR e pratiquem a justiça e o juízo" (Gn

---

15 Ted Tripp, *Pastoreando o coração da criança*, 2ª ed. (São José dos Campos: Fiel, 2017), 158.

18.19). Abraão devia comandar sua casa em obediência piedosa ao Senhor. Isso significa que os pais, especialmente, devem tomar e executar as decisões sobre seus filhos.

Essa "guarda" de nossos filhos não exclui humildade e amor, pois, se não governarmos nossos filhos, o pecado certamente os governará. "Enganoso é o coração, mais do que todas as coisas, e desesperadamente corrupto", disse Jeremias (Jr 17.9). Portanto, não permitimos que nossos filhos sejam governados por seus corações, mas por seus pais, que representam (ainda que imperfeitamente) Deus e sua Palavra. Diz o provérbio: "Corrige o teu filho, e te dará descanso, dará delícias à tua alma" (Pv 29.17).

Exerça o autocontrole

A autoridade concedida aos pais não implica a permissão para maltratar os filhos. A Bíblia é clara em afirmar: "E vós, pais, não provoqueis vossos filhos à ira, mas criai-os na disciplina e na admoestação do Senhor" (Ef 6.4). Os filhos podem ser provocados à ira por um pai de várias maneiras, e todas envolvem fracasso no autocontrole dos pais. A maneira mais comum de um pai provocar seu filho à ira é ele mesmo explodir de ira.

A ira é um assunto sério para muitos pais, porque a desobediência de um filho é vista como uma afronta à autoridade e à honra do pai. No entanto, demonstrações pecaminosas de raiva apenas enfraquecem a autoridade de um pai, fazendo com que a criança se sinta tentada a olhar para o pai com amargura e desprezo.

Observe como Efésios 6.4 contrasta as explosões de ira com a disciplina do Senhor. Raiva pecaminosa e disciplina divina, Paulo diz, são simplesmente incompatíveis. Portanto, para que sejamos pais eficientes, devemos dominar nossas emoções e controlar nossa fala, observando as advertências encontradas em Tiago 3. A raiva pecaminosa e a fala ríspida apenas abrem um abismo de medo e ressentimento entre um pai e seus filhos. Pais e mães são responsáveis perante Deus pelo exercício de sua autoridade, e os pais são responsáveis por assegurar que essa autoridade seja exercida em honra a Deus e para a proteção dos filhos.

A maneira de guardar o coração da criança

Existem duas formas básicas de os pais atuarem sobre seus filhos para corrigir e reprimir seus pecados. A primeira delas é o castigo físico; a segunda, a repreensão verbal. Ser pai é ser uma figura de autoridade que governa seus filhos por meio de comando e aplica suas regras através dos meios dados por Deus de punição corporal e correção verbal. Nosso objetivo em tudo isso é o mesmo de Deus Pai em sua disciplina paternal em relação a nós: produzir "fruto pacífico aos que têm sido por ela exercitados, fruto de justiça" (Hb 12.11).

Repreensão física: não reter a vara

Por punição física, estou me referindo à palmada. Segundo a Bíblia, bater em nossos filhos é absolutamente necessário para ajudar a conter seus pecados e ensinar sabedoria aos seus pequenos corações. A Bíblia diz: "Não retires da criança a disciplina, pois, se a fustigares com a vara, não morrerá. Tu a fustigarás com a vara e livrarás a sua alma do inferno" (Pv 23.13-14). E acrescenta: "A vara e a disciplina dão sabedoria, mas a criança entregue a si mesma vem a envergonhar a sua mãe" (Pv 29.15). De fato, "o que retém a vara aborrece a seu filho, mas o que o ama, cedo, o disciplina" (Pv 13.24). Tripp escreve que a palmada "torna humilde o coração da criança, deixando-a sujeita à instrução dos pais. [...] A correção torna a criança complacente e pronta a receber palavras de vida".[16]

É extremamente importante que os pais disciplinem seus filhos de maneira controlada e altamente intencional, que encoraje o arrependimento do pecado ou outro comportamento errado. Os seguintes pontos podem ser úteis:

Procure privacidade. A palmada não deve ser um exercício de vergonha pública, por isso deve ser feita em privado.

Torne a ofensa conhecida. A criança deve saber especificamente o que fez de errado. Pessoalmente, não bato em meu filho sem antes haver comunicado com clareza a regra quebrada.

Exija que a ofensa seja reconhecida. A criança deve reconhecer o comportamento pecaminoso. Depois disso, é melhor que a criança saiba especificamente qual punição está prestes a receber e que receba um lembrete final da razão pela qual a punição se faz necessária.

Abrace, reconforte e exorte. Então, depois de algumas palmadas firmes nas nádegas — fortes o suficiente para doer, mas não o suficiente para machucar[17] —, a criança deve ser abraçada e reconciliada, ouvir sobre o perdão do pecado através do sangue de Jesus Cristo e exortada a não cometer o pecado novamente.

Repita conforme necessário. O objetivo é uma criança obediente que reconhece o pecado e aceita a correção. Aqueles

---

16 Ibid., 161.
17 Alguns comentaristas argumentam que a ênfase bíblica na "vara" indica que não devemos dar a palmada com nossa própria mão, mas usar algum instrumento apropriado (uma colher grande, por exemplo). Talvez isso sirva para que a criança não associe a mão de seu pai a uma fonte de medo.

que não responderem dessa maneira devem receber palmadas novamente, até que seus corações cedam.

Nosso objetivo é que, pela maneira como administramos as palmadas, e pela atitude e o comportamento que demonstramos, nossos filhos concluam: "Não devo fazer isso de novo", sem jamais pensar: "Meu pai é malvado e raivoso".

A palmada, devidamente aplicada, permitirá que os pais corrijam com amor, imediata e firmemente a desobediência, abrindo o coração da criança à instrução. Uma recusa ou falha em "contrariar nossos filhos" (como diz 1Rs 1.6) conduz a corações indisciplinados e filhos infelizes.

Compreendo que nossa sociedade ensina cada vez mais que a palmada é imoral e prejudicial. Francamente, essa visão é louca e odiosa em relação a nossos filhos. Lembro-me de estar sentado em um avião ao lado de um homem e seu filho em idade pré-escolar. Durante o voo, o garoto tornou-se cada vez mais desagradável. Ele começou a se debater e gritar, e, quando seu pai lhe pediu para parar, o menino o ignorou por completo. Depois de um tempo, o menino começou a dar tapas em seu pai. Em vez de discipliná-lo, o homem tentou acomodar o menino e até mesmo suborná-lo com promessas. Aparentemente usando todo o seu arsenal, o pai ameaçou seu filho com castigo quando saíssem do avião. Nada disso funcionou.

A coisa toda foi uma demonstração lamentável e frustrante de fracasso da disciplina paterna. Diante da desobediência persistentemente petulante do menino, eu quase não consegui evitar oferecer: "Senhor, você se importaria se eu levasse seu filho até o banheiro e batesse em seu traseiro?". Eu até ensaiei meu argumento convincente: "É sério, não vou machucá-lo. Sou um pai treinado e a palmada fará muito bem a ele". No entanto, não falei com o homem. Duvido de que, se o fizesse, receberia uma resposta positiva. Ainda mais importante, percebi que esse garoto mimado (com seu pai politicamente correto) seria apenas um incômodo temporário — não era meu filho, nem minha responsabilidade, tampouco problema meu. Mas, quando se trata de meus próprios filhos, a quem amo e pelos quais sou responsável diante de Deus, insisto na disciplina bíblica para restringir seu pecado e moldar seus corações.

Repreensão verbal: exercitando a autoridade paterna

Tudo isso pressupõe que o pai seja, bem, uma figura paterna. Não me entenda mal: eu me divirto muito com meus cinco filhos (três meninas e dois meninos, atualmente com 12 anos ou menos) e somos muito felizes juntos. Mas não estou aqui apenas para ser amigo deles. De fato, a única razão pela qual podemos nos divertir tanto juntos é por causa da autoridade paterna tão vigorosamente exercida em suas vidas.

Ser uma figura paterna significa impor sua vontade a seus filhos pela força da personalidade e da autoridade. Certamente, isso é realizado, em grande medida, por suas palavras. A autoridade paterna não deriva do fato de que o papai é maior (ele pode não ser, afinal), mas do mandamento de Deus: "Filhos, obedecei a vossos pais no Senhor, pois isto é justo" (Ef 6.1). Toda criança cristã deve ser treinada nesse versículo, para que a autoridade do pai e da mãe não seja fundamentada na superioridade física, mas no mandamento divino.

Considere o fracasso de Eli, o sumo sacerdote de Israel no final do período dos juízes. Eli teve dois filhos que foram a desgraça de Israel, Hofni e Fineias. Eli permitiu que esses ingratos corruptos servissem como sacerdotes no tabernáculo de Siló, onde — como mencionei há pouco — exploraram sua posição para obter a maior vantagem pessoal possível. 1 Samuel 2.22 relata alguns dos fatos sombrios: "Eli [...] ouvia tudo quanto seus filhos faziam a todo o Israel e de como se deitavam com as mulheres que serviam à porta da tenda da congregação". Não é que Eli nunca tenha reclamado da maldade de seus filhos. "E disse-lhes: Por que fazeis tais coisas? Pois de todo este povo ouço constantemente falar do vosso mau procedimento" (1Sm 2.23). Mas eles simplesmente o ignoraram (uma situação que nenhum pai pode permitir): "Entretanto, não ouviram a voz de seu pai" (1Sm 2.25). Aí está a raiz do fracasso de Eli: quando seus filhos o ignoraram e continuaram pecando, ele recuou e não impôs sua autoridade paterna.

O que está por trás desse flagrante fracasso paterno? Ocorre-me que nunca lemos nada acerca da Sra. Eli, o que talvez signifique que a mãe dos meninos morreu logo no início de suas vidas (talvez no parto?) e Eli era tão sensível a esse respeito que não disciplinava os meninos. Evidentemente, isso é especulação, embora seja algo plausível. Ou talvez Eli se sentisse culpado por negligenciá-los, estando muito ocupado como sumo sacerdote de Israel. Seja qual for o motivo, não era desculpa para as falhas de Eli. Seu fracasso em impor a própria autoridade trouxe desastre a Israel, especialmente para sua família (que Deus praticamente exterminou, por causa desses pecados).

Deus estava previsivelmente zangado porque Eli permitia que seus filhos continuassem servindo como sacerdotes no tabernáculo: "Por que pisais aos pés os meus sacrifícios e as minhas ofertas de manjares, que ordenei se me fizessem na minha morada? E, tu, por que honras a teus filhos mais do que a mim [...]?" (1Sm 2.29). Na batalha de Ebenézer, o Senhor ficou tão indignado quando os filhos iníquos chegaram com a arca da Aliança que permitiu que os filisteus destruíssem o exército e capturassem a arca. Não teria sido melhor, perguntamos a Eli, que se tivesse levantado contra seus filhos?

A autoridade de um pai é naturalmente demonstrada e exercida de várias maneiras. Algumas vezes, apenas um olhar comunica aos nossos filhos o que eles precisam entender naquele momento. Mas, como já sugeri, a manifestação mais importante de nossa autoridade, à qual devemos prestar mais atenção, é a nossa fala. O que dizemos aos nossos filhos, e como dizemos — mais especificamente, como os repreendemos verbalmente —, isso é fundamental para o exercício adequado de nossa autoridade dada por Deus.

A respeito de exercer autoridade dessa maneira, confesso que fui ajudado pela experiência de ser oficial de tanque no Exército. Quando eu tinha 21 anos, era líder de pelotão de tanques com sargentos que eram bem mais velhos, razão pela qual tive de aprender a falar com voz de comando. Isso não deve ser confundido com gritar ou reclamar; trata-se de comandar. Ao dar ordem aos filhos, os pais devem falar com firmeza e autoridade (não precisa ser em tom alto, apenas de forma decidida), para que os corações pecaminosos de nossos filhos não se confundam quanto à opção de desobedecer. As crianças devem ser treinadas para responder aos comandos do pai, com a expectativa da pronta obediência. Isso requer que os pais reforcem a obediência, que é onde entra a palmada.

Crianças que foram treinadas para obedecer à voz de seus pais são aquelas cujos corações são submissos a toda autoridade legítima. Tal submissão à autoridade é pré-requisito para o sucesso na vida; por isso as figuras paternas são tão importantes para as crianças e para a sociedade.

Enquanto escrevo isso, imagino alguns leitores, treinados por bobagens psicológicas populares, revirando os olhos para essa ênfase na voz de comando e no reforço da obediência. Esses são sinais, muitos acreditam hoje, de um ego masculino inseguro. Mas, de acordo com a Palavra de Deus, são sinais de um pai que ama seus filhos. Filhos que são comandados por seus pais são felizes e confiantes, especialmente quando o pai provou que seu amor e seus mandamentos são guiados pelos preceitos da Palavra de Deus. Tais crianças não são deixadas à própria sorte, pois são inevitavelmente ineptas e insensatas (cf. Pv 22.15), mas têm suas vontades treinadas para obedecer ao bom e perfeito conselho das Sagradas Escrituras.

Conselho sobre aplicação

Quando o assunto é criar filhos, do que se trata o "guardar"? Ou seja, do que procuramos proteger nossos filhos? Primeiro, nós os protegemos da ameaça interna — sua própria tolice e pecado — e, segundo, nós os protegemos da ameaça externa — os caminhos de uma cultura cada vez mais perigosa.

Nós os protegemos das ameaças *internas* por meio do castigo físico (a vara) e do exercício da repreensão verbal. Isso nunca é divertido. Eu preferiria ser preguiçoso, ignorante e permissivo com meus filhos. De certa forma, seria muito mais fácil ser como aquele pai no avião — afastado do meu papel de autoridade dado por Deus por temor às tolices humanistas.

Mas, veja bem, eu amo meus filhos e aprendi o que significa exercer o amor paterno segundo o padrão bíblico. Portanto, considero uma de minhas maiores honras diante de Deus procurar exercer essa autoridade de maneira apropriada.

Quando se trata de ameaças *externas*, protegemos nossos filhos de várias maneiras e situações. Naturalmente, os pais devem proteger seus filhos contra toda e qualquer ameaça física. Os pais também devem proteger seus filhos das influências moralmente prejudiciais. Isso inclui negar-lhes acesso a certos jogos de videogame e vários tipos de sites da Internet, bem como a uma boa parcela dos filmes e programas de televisão seculares.

Os pais também devem proteger seus filhos de relacionamentos nocivos. Quando nossos filhos chegaram à idade escolar, minha esposa e eu consideramos as possibilidades de escolas públicas locais. Durante nossa visita, soubemos que alguns dos professores eram cristãos e que a cultura secular prevalecente era, de certa forma, contrariada por influência cristã. Porém, acordado à noite pensando e orando a esse respeito, só conseguia me lembrar do versículo inicial do Salmo 1: "Bem-aventurado o homem que não anda no conselho dos ímpios, não se detém no caminho dos pecadores, nem se assenta na roda dos escarnecedores" (Sl 1.1). Eu sou pai deles e não posso permitir que meus filhos andem no conselho dos ímpios, na medida em que isso me for possível. Isso esclareceu nosso pensamento a respeito das opções de escolas. Outros pais podem chegar a uma conclusão diferente da nossa, mas não podem delegar a responsabilidade de proteger o coração de seus filhos.

Esse duplo dever de defender nossos filhos contra as ameaças internas e externas é uma obrigação básica dos pais, uma obrigação que se concentra em trazer disciplina às suas vidas. Deixe-me concluir, então, com alguns conselhos práticos para os pais sobre como disciplinar crianças.

Seja o policial mau

Em primeiro lugar, tanto quanto possível, o pai deve tentar ser o policial mau, ou seja, o disciplinador mais severo, em comparação com a mãe. Em muitos casos, nossas esposas passam boa parte de suas vidas com nossos filhos. Especialmente quando as crianças são pequenas, isso pode significar exercer a correção com muita frequência. É bem difícil para nossas esposas engolirem quando nós, pais, aparecemos no final de um dia de trabalho e fazemos o papel do amigão bonzinho. Quando chego em casa, não quero que minha esposa pense: "Ótimo, lá se vai a disciplina!". Em vez disso, quero que ela diga: "Que alívio! Agora posso relaxar um pouco, pois o Rick está por perto". Além disso, é realmente útil para ela, em seu exercício de correção constante, quando pode usar a ameaça do meu envolvimento (e minha palmada mais forte). As mães se desgastam, e a familiaridade pode gerar desprezo por parte das crianças. Por isso, realmente é bom para nossas esposas quando elas podem dizer: "Continue assim e seu pai ficará sabendo!". Se as crianças ficam pálidas ao pensar nisso — porque você é um pai piedoso, e não zangado —, algo muito bom está acontecendo.

Mantenha o senso de humor

O senso de humor é uma grande ajuda para exercer autoridade e disciplina. Quando há sempre um peso no ar, nossa autoridade parece dura e impessoal. Mas, se o ambiente geral é leve e feliz, as crianças reconhecem o contraste quando se trata de punição e, assim, a percepção geral de boa vontade dos pais é aumentada. Como vimos no capítulo anterior, a paternidade exige um vínculo de amizade com os filhos, e nisso, como em todas as coisas, "o coração alegre é bom remédio" (Pv 17.22). Em geral, pais que são gentis e carinhosos com seus filhos terão crianças mais receptivas ao exercício da autoridade. Da mesma forma, aconselho gentileza na fala com os filhos, de maneira geral. Dizer "por favor" e "obrigado" aos meus filhos não diminui minha autoridade — na verdade, só aumenta. Ao lhes mostrar respeito, incentivamos nossos filhos a respeitar, tanto a nós como aos outros.

Não provoque

Vale a pena enfatizar isso porque é uma área de constante tentação para muitos pais (e mães). Lembremo-nos sempre de que o mandamento de Paulo, "pais, não provoqueis vossos filhos à ira" (Ef 6.4), está ligado ao mandamento para nossos filhos nos obedecerem. Não podemos reforçar o mandamento dado aos filhos com integridade sem reforçar o mandamento que nos foi dado.

Para evitar provocar nossos filhos à ira, devemos ser justos e criteriosos em nossas exigências para com nossos meninos e meninas. Não devemos ser pessoalmente abusivos (mais uma vez, todo abuso diminui, em vez de aumentar a autoridade). Quero que meus filhos pensem em si mesmos com dignidade e respeito dados por Deus, e isso requer que seu pai os honre e respeite.

Aqui está uma regra que tento seguir com afinco: *sempre estarei a favor de meus filhos, mesmo que os esteja punindo. Nunca ficarei contra eles nem falarei com eles com desprezo.* Para meu pesar, já quebrei essa regra mais de uma vez. Então, o que os pais fazem quando pecam contra os filhos? Devem confessar seus pecados a seus filhos e pedir perdão, tratando-os como cristãos dignos de verdade e graça.

Parte de sermos justos e criteriosos para com nossos filhos inclui ter expectativas razoáveis. Nossos filhos não devem ser punidos por falhas bem-intencionadas ou por limitações de desenvolvimento. A punição deve ser reservada à desobediência intencional.

Por exemplo, quando meu filho mais novo estava na segunda série, minha esposa e eu acreditávamos que a professora da escola cristã tinha expectativas irreais sobre a capacidade de alguns garotinhos ficarem quietos na sala de aula. Nosso filho é, por natureza, um sonhador, e nós não consideramos isso algo comprometedor (embora às vezes represente um desafio). Depois da primeira semana de escola do nosso filho, em que ele foi repreendido por exibir comportamento típico de um menino de sete anos como ele, a professora me chamou para insistir em que eu o castigasse. Pedi-lhe que descrevesse sua desobediência. Quando ela falou e nós discutimos o assunto, até ela teve de admitir que nada em sua desobediência era uma rebelião voluntária. Então, educadamente, recusei-me a punir meu filho, acreditando que o problema era que a professora não havia observado corretamente a instrução de Efésios 6.4 (em seu papel como autoridade temporariamente delegada, no lugar dos pais).

Lembro-me muito bem de me sentar com meu filho, intimidado e assustado, naquele fim de semana. Ele passara toda a semana abatido, e agora pensava que seu pai iria puni-lo. Em vez disso, eu lhe disse que não achava que ele merecia punição e que esperava que ele fizesse o melhor possível, respeitando sempre a professora. Então orei com ele para que Deus o ajudasse a obedecer à professora o melhor que ele pudesse. Tenho certeza de que isso significou muito para meu filho, que viu que seu pai estava tentando ser honesto e justo, e que seus pais estavam do seu lado.

Foi um ano bastante longo para meu filho; por algumas razões, a professora não criou vínculo com ele. Mas orar com ele durante o ano, insistindo para que se esforçasse em obedecer, fortaleceu nosso relacionamento. Isso me ensinou que parte do exercício da autoridade paterna é garantir que os padrões e as expectativas sobre nossos filhos estejam corretos e que o tratamento deles seja o mais justo possível.

Cubra tudo com oração

Finalmente, se não é óbvio que todos os nossos esforços como pais devem ser cobertos de oração, isso significa que não entendemos a dificuldade do desafio! Considere o exemplo do rei Davi. Ele era um verdadeiro gigante espiritual, mas, quando foi negligente com seus filhos, o resultado foi um grande desastre. Quais serão os resultados de meus próprios pecados e fracassos como pai? Eu tremo ao considerá-los, mas me volto para 1 Pedro 5.6-7 como meu consolo: "Humilhai-vos, portanto, sob a poderosa mão de Deus, para que ele, em tempo oportuno, vos exalte, lançando sobre ele toda a vossa ansiedade, porque ele tem cuidado de vós".

Deus cuida de nós, pais (e também das mães), a Bíblia diz, e isso faz toda a diferença. Assim, os pais devem praticamente viver em oração, lançando as muitas ansiedades por nossos filhos em suas mãos amorosas, lembrando-se da fidelidade da aliança do Senhor e de seu próprio compromisso com nossos filhos.[18] Pois, assim como Deus prometeu a Abraão, ele nos promete: "Estabelecerei a minha aliança entre mim e

---

18 N. do E.: Este parágrafo reflete a visão aliancista do autor. Reconhecermos, todavia, a bondade do Senhor em frequentemente utilizar o ensino fiel dos pais como meio para alcançar os filhos.

ti e a tua descendência no decurso das suas gerações, aliança perpétua, para ser o teu Deus e da tua descendência" (Gn 17.7). É nessa esperança que amamos nossos filhos, exercendo a disciplina paterna — o mesmo amor com que nosso Pai celestial "nos disciplina para aproveitamento, a fim de sermos participantes da sua santidade" (Hb 12.10).

Questões para reflexão e discussão

- Reflita sobre a lista de santos do Antigo Testamento que não conseguiram criar filhos piedosos. O que você conclui disso? Quais fatores podem ter contribuído para essa tendência?
- Como você se sente em relação à ideia de autoridade paterna? Você concorda que um pai deve ser uma figura de autoridade que exerce seu governo?
- O que você acha dos métodos bíblicos para punir as crianças? Você tem dicas sobre o que fazer e o que não fazer? Por que tal disciplina encontra cada vez mais oposição na sociedade secular?
- Por que é importante que os pais tratem seus filhos com cortesia, gentileza e bom humor, mesmo enquanto exercem autoridade? Por que os homens às vezes lutam com a raiva quando disciplinam seus filhos? Por que é importante restringir a ira, e como os homens fazem isso?

Capítulo 11
A amizade masculina

Existem duas estátuas em Washington, D.C., que, juntas, contam uma história notável. Uma delas é o imenso memorial ao General Ulysses S. Grant, que fica à margem oriental do espelho d'água do Capitólio, literalmente sob a sombra da manhã do edifício do Congresso americano. Trata-se de uma representação majestosa do lendário general montado em seu cavalo de guerra, que não passa despercebida dos visitantes. A liderança militar de Grant foi decisiva para a vitória da União na Guerra Civil americana, e ele é considerado um símbolo da força da vontade humana, um ícone do homem forte que permanece firme contra a tempestade quando todos os outros recuaram. Esse monumento proeminente foi erguido por sua geração em sinal de gratidão e admiração, como uma celebração de sua contribuição singular.

A cerca de quatro quilômetros de distância, em um parque agradável, porém pequeno e comum, fica um memorial mais discreto. A estátua desse personagem menos conhecido da Guerra Civil, General John Rawlins, já esteve em oito locais diferentes e raramente é notada pelos visitantes. Rawlins era advogado em Galena, Illinois, onde Grant morava pouco antes da guerra, e tornou-se chefe de gabinete de Grant. Rawlins conhecia as falhas de caráter de Grant, especialmente sua fraqueza pelo álcool. No início da guerra, Rawlins fez Grant prometer que iria abster-se da embriaguez, e, sempre que o general ameaçava abandonar essa promessa, seu amigo insistia e o apoiava até que Grant pudesse voltar ao caminho certo. De muitas maneiras, foi Rawlins quem ficou ao lado da figura aparentemente solitária de Grant, o grande general. O memorial de Rawlins é modesto em comparação com a glória concedida a Grant, mas, sem seu amor e apoio discretos, Grant dificilmente teria conseguido montar naquela sela.

É a estátua de Grant que adorna cartões-postais vendidos na livraria do Capitólio; ninguém dá a mínima atenção a Rawlins. Nosso mundo celebra o indivíduo — o poder do um, as conquistas solitárias e os louros individuais. Mas a Bíblia vê as coisas de uma perspectiva bem diferente. O sábio de Eclesiastes diz: "Melhor é serem dois do que um, porque têm melhor paga do seu trabalho. Porque se caírem, um levanta o companheiro; ai, porém, do que estiver só; pois, caindo, não haverá quem o levante" (Ec 4.9-10).

O notável Jônatas

Em nosso estudo sobre a masculinidade e o Mandato Masculino bíblico para cultivar e guardar, é óbvia a razão pela qual nos concentramos primeiro no casamento e na paternidade; essas são as relações pessoais que dominam a vida de um homem. Mas esses não são os únicos relacionamentos que um homem deve desfrutar. Uma das marcas de um verdadeiro homem piedoso é sua fidelidade na amizade com outros homens, especialmente com os irmãos em Cristo. A Bíblia celebra o verdadeiro amigo, e a maioria de nós entende que os companheiros piedosos estão entre as maiores bênçãos da vida.

Se a amizade entre Grant e Rawlins é uma grande história americana, talvez a maior amizade registrada nas Escrituras seja o amor fraterno entre Jônatas e Davi. Os dois homens se encontraram cedo na vida, após a famosa vitória de Davi sobre o gigante filisteu Golias. 1 Samuel 17 conta como todo o exército israelita se acovardou de pavor perante esse temível guerreiro, e como o jovem pastor, protegido apenas por sua fé em Deus e armado apenas com uma funda, derrubou o filisteu e conduziu Israel à vitória. Jônatas era o filho e herdeiro do então rei de Israel, Saul, e o herói das batalhas anteriores. Na verdade, Jônatas era o queridinho do exército de Israel antes da aparição explosiva de Davi naquele cenário. Quão natural (na perspectiva do pecado) teria sido para Jônatas ressentir-se daquela jovem revelação. No entanto, aconteceu exatamente o oposto, pois Jônatas apresenta um dos mais belos retratos da graça masculina em toda a Escritura. 1 Samuel 18.1 simplesmente registra que "a alma de Jônatas se ligou com a de Davi; e Jônatas o amou como à sua própria alma". Não apenas o Senhor encontrara "um homem que lhe agrada" (1Sm 13.14); também o piedoso Jônatas encontrara isso em Davi.

Não é por acaso que tenho um filho chamado Jonathan, pois o Jônatas do Antigo Testamento é um dos poucos homens nas Escrituras acerca de quem não há vícios registrados. Não lemos nada, em todos os relatos sobre Jônatas, sugerindo algo a não ser um coração cheio de fé no Senhor e de amor pelo povo de Deus. Isso não significa que Jônatas não tivesse pecado; como uma figura relativamente pequena na Bíblia, ele não recebe um tratamento muito extenso. Mas vale a pena notar que esse homem, considerado o maior dos amigos, também era um homem de fé vibrante e pureza de coração.

De uma perspectiva mundana, poderíamos esperar que Jônatas fosse o mais amargo dos inimigos de Davi. Como príncipe, Jônatas deveria herdar o trono de seu pai, portanto a ascensão de Davi ameaçava sua dinastia. No entanto, quando Davi derrotou Golias, Jônatas parece ter entendido que Deus estava estabelecendo Davi no lugar de Saul e sua família. Jônatas respondeu tirando o próprio manto real, junto com a espada, o arco e o cinturão, e colocando-os no líder em ascensão; e foi assim que apresentou o jovem Davi diante das tropas veteranas. Por que ele agiu assim? Jônatas "o amava como à sua própria alma" (1Sm 18.3), pois amava o Senhor e amava a fé que ele viu ardendo no jovem Davi.

Mais tarde, quando a crescente popularidade de Davi lhe valeu o ódio paranoico do rei Saul, foi Jônatas quem interveio para salvar a vida de Davi, embora soubesse que isso o colocaria sob a desconfiança de seu pai. Por fim, Davi foi forçado a fugir e reunir um grupo de soldados para si. Durante anos, Saul perseguiu Davi, desgastando sua fé e determinação. E, embora Davi tenha sido sustentado, durante todo esse tempo, pela promessa de Deus de que ele seria feito rei, cansou-se pelas dificuldades do exílio e da perseguição. Foi durante esse tempo na vida de Davi, quando ele parecia estar à beira do desespero e da derrota, que Jônatas veio e forneceu um modelo de amizade masculina.

O amigo que vem

Davi encontrara refúgio de Saul nas cavernas de Adulão, no centro da Judeia. Ele deixou sua fortaleza, contudo, para resgatar os cidadãos de uma cidade vizinha que fora atacada pelos filisteus. Saul soube de seus movimentos e atacou para capturar Davi e seus homens antes que eles pudessem voltar para a segurança de Adulão. O rápido avanço de Saul empurrou

Davi e suas forças para o deserto do sul, perseguido pelas forças superiores do rei.

Lemos sobre a terrível situação de Davi em 1 Samuel 23: "Permaneceu Davi no deserto, nos lugares seguros, e ficou na região montanhosa no deserto de Zife. Saul buscava-o todos os dias, porém Deus não o entregou nas suas mãos" (v. 14). A essa altura, Davi já estava fugindo de Saul havia vários anos. Podemos imaginar seu cansaço extremo e como, vez ou outra, sua confiança nas promessas de salvação de Deus deve ter-se abalado. Não é de admirar que esse seja o homem que escreveu: "a minha alma está profundamente perturbada; mas tu, SENHOR, até quando?" (Sl 6.3).

Foi nesse exato momento que Jônatas reapareceu para Davi. Parece que ele estava servindo como comandante no exército de Saul. Sabendo da posição cada vez mais desesperada de Davi, Jônatas agiu para fornecer um dos exemplos clássicos de amizade fiel. A Bíblia expressa isso nestas palavras breves mas poderosas: "Então, se levantou Jônatas, filho de Saul, e foi para Davi, a Horesa, e lhe fortaleceu a confiança em Deus" (1Sm 23.16). Como uma afirmação tão simples carrega tantas implicações!

Tomando a iniciativa

Para começar, Jônatas tomou a iniciativa e foi até Davi. Esse foi um ato de ministério sacrificial. Seguro ao lado de seu pai e dentro das fortes fileiras do exército perseguidor, Jônatas partiu para se expor ao perigo que Davi estava experimentando. Do conforto da provisão real, ele se aventurou na privação do deserto de seu amigo. Isso é o que a amizade exige. Um amigo que não está disposto, e até mesmo ansioso, a sacrificar tempo, trabalho e conforto não é digno de ser chamado *amigo*.

Buscando entender

Em segundo lugar, Jônatas mostrou-se sensível às necessidades de seu amigo. Muitos de nós estaríamos dispostos a fazer sacrifícios apenas se, em primeiro lugar, entendêssemos as reais necessidades dos outros. Mas isso exigiria que fizéssemos exatamente o que Jônatas fez: pensar no que Davi estava experimentando. Jônatas não estava concentrado em suas próprias dificuldades, na difícil situação que sua amizade com Davi criara para ele ou no perigo para suas aspirações profissionais. Em vez disso, Jônatas confiou suas próprias necessidades ao Senhor e dedicou seus pensamentos ao sofrimento de seu amigo, Davi. Esse é o tipo de coisa que Paulo tinha em mente quando escreveu aos filipenses: "Nada façais por partidarismo ou vanglória, mas por humildade, considerando cada um os outros superiores a si mesmo. Não tenha cada um em vista o que é propriamente seu, senão também cada qual o que é dos outros" (Fp 2.3-4).

Considere a situação de Davi. Ele era o líder de um bando de fugitivos cansados, cercados no deserto. Davi estava pagando o preço da liderança, seus próprios pensamentos dedicados a seus homens e suas necessidades, enquanto ele permanecia sozinho, sem pares ou companheiros para si mesmo. Enquanto Davi emprestava sua força aos outros, não havia ninguém para sustentá-lo em sua fraqueza. Considere, hoje, um médico ou enfermeiro cuidando de doentes desesperados: quem está lá para sustentar e encorajar o cuidador? Ou considere uma mãe se doando por seus filhinhos, ou um pastor cansado se preocupando com seu rebanho. Qual amigo virá ao socorro, buscando entender e ministrar a partir desse entendimento? Jônatas sabia quão grande é o presente da companhia para um amigo que está em dificuldade.

A Bíblia diz que Deus não iria entregar Davi a Saul. Mas você acha que Davi estava sempre confiante nisso? Davi não acharia difícil crer nisso em um momento de tamanha provação? Ele estava em uma terra hostil, com um inimigo real em seus calcanhares. Alguns sinais da fidelidade de Deus cairiam bem para Davi, encorajando-o a acreditar e prosseguir na luta. E Deus estava prestes a fornecer esse encorajamento na forma de um amigo verdadeiro.

Jônatas foi até Davi em seu lugar de luta. Da mesma forma, hoje nossa amizade significa pouco se não procurarmos e encontrarmos nossos irmãos em seus lugares de necessidade. "Em todo tempo ama o amigo", diz o provérbio, "e na angústia se faz o irmão" (Pv 17.17).

A mão que ajuda

Já teria significado muito para Davi apenas ver seu fiel amigo Jônatas nesse momento e nesse local de necessidade. Mas Jônatas fez mais do que simplesmente aparecer: ele fez por Davi a coisa mais necessária nos tempos difíceis. A Bíblia afirma: "Jônatas [...] fortaleceu a sua mão em Deus" (1Sm 23.16, ARC). A mão de Davi estava trêmula e prestes a escorregar do firme suporte que é a nossa fé em Deus. Jônatas, então, veio e restabeleceu a firmeza da fé e da esperança de Davi no Senhor.

Você já se perguntou como encorajar um amigo em dificuldade? É um grande ato ir até ele e oferecer-lhe a mão. Porém, é algo ainda maior tomar essa mão trêmula e apoiá-la firmemente nas promessas de Deus. Foi exatamente isso que Jônatas fez por Davi. "E lhe disse: Não temas, porque a mão de Saul, meu pai, não te achará; porém tu reinarás sobre Israel, e eu serei contigo o segundo, o que também Saul, meu pai, bem sabe" (1Sm 23.17).

No mesmo instante em que Jônatas dizia isso, o exército de seu pai estava atacando Davi. Então, qual foi sua base para falar dessa maneira? Jônatas falou de sua memória acerca das promessas que Deus fizera a Davi, promessas que certamente seriam cumpridas. Podemos parafrasear o encorajamento de Jônatas da seguinte maneira: "Veja, Davi, não deixe de depositar sua confiança em Deus. Lembre-se de que o Senhor prometeu que você será rei. Mas, caso você esteja duvidando disso, deixe-me compartilhar algo com você. Até meu pai, Saul, sabe que é assim que tudo vai acabar. Portanto, Davi, não tema Saul, mas confie no Senhor!".

Que mensagem oportuna foi essa! Os Jônatas deste mundo são poucos e raros de encontrar. Eles são os heróis do herói e certamente se mostram preciosos para o coração de Deus.

Veja o que o profeta Eliseu fez por seu companheiro quando se viram cercados por cavaleiros inimigos: "Não temas, porque mais são os que estão conosco do que os que estão com eles". Quando o homem expressou sua dúvida, Eliseu fez a melhor das orações, a que atende à nossa mais urgente necessidade: "Senhor, peço-te que lhe abras os olhos para que veja" (2Rs 6.16-17).

Dietrich Bonhoeffer conhecia o valor da amizade piedosa em meio ao perigo. Bonhoeffer, um erudito evangélico em ascensão que se opusera abertamente a Hitler, foi persuadido a trabalhar fora da Alemanha, e por isso, durante os primeiros anos de dominação nazista, viveu em segurança na Inglaterra. Mas ele sabia que seus amigos e a congregação precisavam de sua presença e de seus apelos pessoais à fé. Assim, ao retornar à Alemanha nazista, ele liderou um seminário subterrâneo, onde viveu junto com homens cristãos fiéis que se preparavam para ministrar naquela difícil situação, até que sua oposição a Hitler levou a sua prisão e subsequente execução. Em *Life Together*, um livro que narra sua experiência naquela comunidade cristã secreta, Bonhoeffer escreveu:

> O cristão precisa de outro cristão que lhe fale a Palavra de Deus. Ele precisa dele de novo e de novo quando fica incerto e desencorajado [...] Ele precisa de seu irmão como portador e proclamador da palavra divina da salvação [...] E isso também esclarece o objetivo de toda a comunidade cristã: eles se encontram como portadores da mensagem da salvação.[19]

Ministrar à fé

O exemplo de Jônatas com Davi nos mostra que um amigo piedoso ministra principalmente à fé de seus irmãos em Cristo, procurando edificar seus corações trêmulos e protegê-los dos perigos da descrença e do medo. Esse é o mandato de Gênesis 2.15 para *cultivar* e *guardar* em ação na importante arena da amizade masculina. Quando chegamos a um amigo e "fortalecemos sua mão em Deus", restauramos a fé vacilante em sua confiança nas promessas infalíveis do Senhor.

A intervenção de Jônatas provou-se um verdadeiro ponto de virada para Davi, aquele grande homem de Deus. Que momento difícil foi aquele para Davi! Ele acabara de experimentar uma amarga traição, que estava prestes a acontecer novamente. Primeiro, depois de expor suas forças para resgatar a cidade de Queila da mão dos filisteus, o povo respondeu relatando sua presença ali ao rei Saul (1Sm 23.12-14). Agora, no deserto onde Davi estava tentando se esconder, os zifeus estavam negociando

---

[19] Dietrich Bonhoeffer, *Life Together* (San Francisco, CA: Harper & Row, 1954), 23 [edição em português: *Vida em comunhão* (São Leopoldo, RS: Sinodal, 1997)].

ativamente sua traição com Saul (1Sm 23.19). No entanto, havia uma luz brilhando nessa escuridão, a ajuda espiritual dada por Jônatas, que fortaleceu a mão de Davi em Deus. E, por meio da ajuda amorosa daquele amigo, Davi encontrou coragem para continuar esperando no Senhor. É assim que vemos como as palavras de Provérbios 18:19 são verdadeiras: "O irmão ajudado é como uma fortaleza" (Tradução livre da Revised Standard Version). A amizade leal de Jônatas foi um apoio crucial que sustentou as muralhas do espírito de Davi.

Foi pouco depois da intervenção de Jônatas que Davi conseguiu animar seu coração com as palavras de Salmos 57.1: "Tem misericórdia de mim, ó Deus, tem misericórdia, pois em ti a minha alma se refugia; à sombra das tuas asas me abrigo, até que passem as calamidades". Jônatas havia lembrado e encorajado Davi a procurar a ajuda de Deus, não nas cavernas de Adulão ou no deserto de Zife, mas na Rocha que é o nosso Deus. Naquela fortaleza de segurança, Davi podia cantar com alegria: "Firme está o meu coração, ó Deus, o meu coração está firme" (Sl 57.7).

É claro que Deus livrou Davi. Os zifeus traíram Davi com o rei Saul, mas, quando Saul havia cercado os fugitivos e parecia que a causa de Davi estava perdida, chegou a notícia ao rei de um súbito ataque filisteu a Israel: "este e os seus homens cercaram Davi e os seus homens para os prender. Então, veio um mensageiro a Saul, dizendo: Apressa-te e vem, porque os filisteus invadiram a terra. Pelo que Saul desistiu de perseguir a Davi e se foi contra os filisteus" (1Sm 23.26-28).

Sem a amizade fiel de Jônatas, que amava a Deus e, portanto, amava seu amigo crente tanto quanto a si mesmo, Davi facilmente poderia ter perdido a esperança. Mas Jônatas foi até Davi, pois se preocupou com suas prováveis necessidades.

Quando ele chegou, falou palavras que edificaram a fé de Davi, "fortalecendo sua mão em Deus", de modo que Davi não mais hesitou em incredulidade, mas alcançou firme segurança na verdade infalível de Deus. O melhor amigo é sempre aquele que faz nosso coração repousar no Senhor. Devemos valorizar grandemente os verdadeiros amigos em Cristo. E devemos desejar grandemente ser um amigo assim. Uma das melhores formas de servirmos ao Senhor, para refletir sua glória no mundo e cumprir a vocação de Deus para nós como homens, é sair do banco de reservas da vida, oferecer nosso tempo e compaixão aos amigos necessitados e falar palavras de verdade e graça que os levem (ou façam voltar) ao Senhor. Dessa forma, nós mesmos também cresceremos cada vez mais à semelhança de Jesus Cristo.

As Escrituras dizem que "há amigo mais chegado do que um irmão" (Pv 18.24), e o melhor exemplo desse amigo é o Filho de Deus, que, voluntariamente, morreu para nos libertar de nossos pecados. Como Jônatas, Jesus saiu de um lugar seguro para o nosso mundo de dificuldades e perigos. Como Jônatas, Jesus deixou riquezas e conforto para entrar em nossa pobreza. Ele não apenas fortaleceu nossa mão em Deus, como também nos levou a um relacionamento salvífico com Deus através de seu sangue. Jesus nos diz: "De maneira alguma te deixarei, nunca jamais te abandonarei" (Hb 13.5). Nós, portanto, servimos bem a Jesus quando estamos ao lado de nossos amigos, falamos palavras que fortalecem sua fé e, em nome de Cristo, compartilhamos seus problemas e tristezas. Se formos verdadeiros amigos de nossos irmãos em Cristo, então o que foi dito para a glória de Jesus também poderá ser dito de nós: "Ninguém tem maior amor do que este: de dar alguém a própria vida em favor dos seus amigos" (Jo 15.13).

Questões para reflexão e discussão

+ As amizades com outros homens desempenham papel importante em sua vida? Em caso positivo, como? Se a resposta é negativa, por que você acha que isso acontece?
+ Considere o ministério sacrificial de Jônatas, *indo até Davi*. Por que isso foi tão importante? Quais são algumas barreiras que impedem os homens cristãos de se fazerem presentes na vida dos amigos? Você consegue pensar em alguns passos que lhe permitirão ter uma presença maior na vida dos amigos homens, e que eles sejam mais presentes em sua vida?
+ Você já deu ajuda a um amigo cristão que estava lutando com sua fé? Você já recebeu uma ajuda assim? O que foi eficaz ao ministrar a tal pessoa? O que a Bíblia quer dizer com Jônatas "fortaleceu a mão de Davi em Deus"? Por que isso é um ministério tão essencial para os amigos necessitados?
+ Jônatas foi capaz de ministrar com tanto sucesso a Davi porque pensou na situação de seu amigo e se tornou sensível às suas necessidades. De que maneiras você pode tornar-se mais sensível às necessidades de seus amigos homens, de modo a interceder por eles na presença de Deus?

Capítulo 12
O mandato masculino na igreja

Quando Neemias foi a Jerusalém para supervisionar a reconstrução de suas muralhas, a cidade encontrava-se em uma situação que muitos consideravam sem solução. E, para agravar a situação, ainda havia inimigos à espreita, à espera de uma oportunidade qualquer para atacar e derrubar o que Israel estava tentando construir. À luz desses dois desafios, Neemias comandou os homens em dois tipos de tarefas, conforme indicado no livro que leva seu nome: "metade dos meus moços trabalhava na obra, e a outra metade empunhava lanças, escudos, arcos e couraças" (Ne 4.16).

O que vemos aqui? Mais uma vez, o padrão de Gênesis 2.15 colocado por Deus é cristalino: os homens de Neemias *cultivavam*, trabalhando para construir as muralhas, e *guardavam*, montando guarda para proteger tanto os trabalhadores como o trabalho já realizado. Ao demonstrar o uso do Mandato Masculino coletivamente entre o povo de Deus, Neemias estabeleceu um precedente que vale até hoje. Dentro da igreja, os homens são chamados para cultivar e guardar a serviço de Deus. Ou seja, os homens cristãos devem trabalhar na igreja com a colher de pedreiro em uma mão (a espátula de jardinagem de Adão e a colher de pedreiro de Neemias, complementadas pelas "colheres de pedreiro" de mil outras profissões e ocupações) e com a espada da verdade (que nunca muda, realmente) na outra. Com o trabalho dos obreiros e sob a guarda de homens piedosos, a igreja de Cristo cresce forte e permanece segura em sua missão de espalhar o evangelho no mundo.

Liderança masculina exclusiva

É necessário declarar de antemão que as posições com autoridade de liderança na igreja do Novo Testamento devem ser exercidas apenas pelos homens. As mulheres podem e devem desempenhar papéis de destaque na igreja, pois uma igreja com uma forte presença masculina também terá uma forte beleza feminina. Mas as posições de autoridade — os papéis de ensinar e governar — são restritas aos homens. Quando nos convencemos da verdade e da autoridade da Escritura, e depois lemos as palavras simples do Novo Testamento, chegamos a essa conclusão fácil e naturalmente.

Os ofícios de autoridade espiritual dentro da igreja são os dos presbíteros e diáconos. Os presbíteros supervisionam todos os assuntos da igreja, servindo especialmente ao seu bem-estar espiritual, enquanto os diáconos exercem autoridade sobre os interesses físicos da igreja e lideram no ministério das boas obras (cf. At 6.1-6). As qualificações para presbíteros e diáconos são estabelecidas por Paulo em 1 Timóteo 3.1-13, passagem em que as declarações específicas sobre gênero deixam bem claro que esses ofícios são destinados por Deus somente aos homens.[20]

---

20 Alguns estudiosos argumentam que o uso do termo *servas* para descrever algumas mulheres no Novo Testamento indica que elas exerciam o ofício de diáconos, uma vez

Paulo declara o princípio geral da liderança masculina em 1 Coríntios 11.3-9: "Quero, entretanto, que saibais ser Cristo o cabeça de todo homem, e o homem, o cabeça da mulher, e Deus, o cabeça de Cristo [...] Porque o homem não foi feito da mulher, e sim a mulher, do homem. Porque também o homem não foi criado por causa da mulher, e sim a mulher, por causa do homem" (1Co 11.3, 8-9). Esse princípio da liderança masculina também é aplicado especificamente ao exercício da autoridade de governo e do ensino na igreja. Paulo escreve a Timóteo: "E não permito que a mulher ensine, nem exerça autoridade de homem; esteja, porém, em silêncio" (1Tm 2.12). Mais uma vez, Paulo fundamenta esse ensinamento no desígnio de Deus na criação e também nos efeitos da queda (1Tm 2.13-14). Além disso, o fato de Jesus haver nomeado apenas homens para o apostolado e de a igreja primitiva ter eleito apenas homens para o primeiro diaconato estabelece um precedente que não temos razão para deixar de lado.

Em outras passagens do Novo Testamento, as mulheres são encorajadas ao ensino de crianças e de outras mulheres. Mas a mensagem fundamental sobre o ensino e o exercício da autoridade espiritual dentro da igreja como um todo é bastante clara: esses papéis são reservados aos homens cristãos. E, quando os homens deixam de assumir esses papéis com prazer e exercê-los de forma diligente, acabamos com igrejas

---

que a mesma palavra é usada tanto para descrever um servo não ordenado como um diácono ordenado. O problema dessa visão é que a descrição que Paulo faz das qualificações são estipuladas de forma restrita a homens (por exemplo, a expressão "marido de uma só mulher" é usada para presbíteros e diáconos, 1Tm 3.2,12) e que o termo geral *servo* também é usado por Paulo para não cristãos, como o imperador (Rm 13.4). Um tratamento saudável das qualificações do Novo Testamento para os ofícios mostra que o uso geral do termo diácono/servo pode ser aplicado a qualquer um, ao passo que o uso oficial desse termo para diáconos é especificamente restrito a homens.

feminizadas que podem rapidamente tornar-se infrutíferas e adoecidas, por não serem conduzidas como Deus planejou.

Preparado para o serviço

O que isso diz aos homens cristãos na igreja? Por um lado, diz que os homens devem encarar a fé com seriedade, de modo a se preparar para servir na liderança da igreja. Nem todos os homens podem ou devem servir como presbíteros ou diáconos. Mas a igreja tem — e sempre terá — uma profunda necessidade de contar com homens qualificados e piedosos para servir e liderar. Portanto, um homem cristão fiel deve preparar-se para servir dessa maneira.

Um homem que sente o chamado para o ministério cristão deve examinar de perto 1 Timóteo 3.2–7, pois é ali que Paulo expõe, de forma explícita, as qualificações bíblicas para o ofício da igreja. A seguir, algumas frases-chave dessa passagem acompanhadas por minhas tentativas de desenvolver, enfatizar e aplicar:

- "É necessário, portanto, que o bispo seja irrepreensível" (v. 2). Ele deve trabalhar para assegurar que sua vida dê um bom testemunho sobre Cristo e sua igreja.
- Ele deve ser "apto para ensinar" (v. 2). Ele deve assegurar-se de que é sólido na fé e capaz de transmiti-la a outras pessoas (isso é tão necessário para a paternidade quanto para o presbiterato).
- Um bispo deve ser "temperante, sóbrio, modesto, [...] não dado ao vinho, não violento, porém cordato" (vv. 2-3). Ele deve crescer em piedade cristã, mostrando o fruto do Espírito e adquirindo controle sobre suas paixões.

- Um bispo deve ser "inimigo de contendas, não avarento" (v. 3). Ele deve avançar em santificação, para que os valores bíblicos de paz e contentamento sejam evidentes em sua vida.
- "E que governe bem a própria casa, criando os filhos sob disciplina, com todo o respeito" (v. 4). Ele deve praticar a fé em sua casa e, assim, aprender a liderar na igreja.
- "É necessário que ele tenha bom testemunho dos de fora, a fim de não cair no opróbrio" (v. 7). Ele deve viver de modo a ter boas relações com os não cristãos e uma reputação de integridade.

Hoje, nossas igrejas precisam de homens que cuidem da vida com esse tipo de propósito, esforçando-se para se preparar e crescer espiritualmente, para que estejam qualificados a servir como líderes no rebanho do Senhor Jesus.

Todos são soldados, atletas, agricultores

Mas há algo mais que devemos notar nas sentenças bíblicas que listei acima. Ao olharmos as qualificações bíblicas de 1 Timóteo 3 para o ofício da igreja, vemos o manual de um tipo de piedade a que *todos* os homens cristãos devem aspirar. Colocada diante de nós, há uma excelente agenda para qualquer cristão seguir: piedade pessoal, autocontrole, conhecimento da verdade e boa reputação dentro e fora da igreja. Que bênção é levar uma vida assim — e quão incomum é hoje! Aqueles de nós que foram convertidos na idade adulta (como eu) lembram-se de quando essas coisas não podiam ser ditas sobre nós e nos regozijamos com a obra de Cristo em nossas vidas para sua glória.

De fato, Paulo chama cada homem cristão para ser um "bom soldado de Cristo Jesus" (2Tm 2.3), e a primeira batalha que enfrentamos na condição de crentes é contra nossos próprios hábitos pecaminosos e imaturidade espiritual. Paulo também nos compara a atletas treinando pela coroa de vitória e a agricultores diligentes que produzem uma boa colheita. A competição de nossas vidas é a da piedade, e o campo que primeiro aramos e plantamos é nosso próprio caráter e coração, por meio da devoção à Palavra de Deus, da oração e de uma sincera aplicação da graça de Deus aos assuntos de nossas vidas. Os homens cristãos que ainda não foram chamados ao ofício formal da igreja nunca devem reclamar que não têm nada a fazer. Todos nós temos muito a fazer em nossos próprios corações e vidas, e a necessidade de homens bem qualificados para servir como líderes na igreja sempre é urgente e vital.

Cultivar: edificadores da igreja

O chamado dos homens cristãos para trabalhar na igreja inclui as ideias de edificar e fortalecer o corpo dos crentes. Este é o primeiro aspecto do Mandato Masculino: a vocação para *cultivar*. Efésios 4.7-16 nos dá o modelo do Novo Testamento para o crescimento da igreja, começando pelos dons que o Cristo ressuscitado e exaltado dá do céu ao seu povo: "E a graça foi concedida a cada um de nós", escreve Paulo, "segundo a proporção do dom de Cristo" (Ef 4.7). Isso levanta uma questão à qual os homens cristãos devem procurar responder: *que tipo específico de trabalho Cristo está me chamando para fazer na igreja, para o qual ele me deu dons espirituais particulares?* As cartas do Novo Testamento listam dons como servir, ensinar, exortar, ajudar, generosidade, liderança, misericórdia e administração (Rm 12.6-8; 1Co 12.28).[21] Essas listas não devem ser lidas como se fossem formais ou esgotassem todas as possibilidades, mas, sim, como os tipos de coisas que Cristo nos prepara para fazer pelo poder do Espírito Santo. Cada um de nós deve ter um senso de nossos dons espirituais e ocupar-se de usá-los no serviço da igreja, já que os dons foram dados pelo Senhor para o benefício de seu povo.

Esteja disponível

Meu conselho para os novos crentes, ou para homens que ainda não buscaram servir na igreja, não é novidade, nem algo difícil de seguir. É apenas este: esteja atento a qualquer necessidade que aparecer, em relação à qual você tenha alguma habilidade e o desejo de assumir, e ofereça-se para satisfazê-la.

Pouco depois de me converter, minha igreja anunciou um ministério de tutoria para os jovens do centro da cidade. Eu pensei que esse seria um ministério valioso, no qual eu poderia servir razoavelmente bem, então perguntei se poderia me envolver. No fim das contas, servir nesse ministério foi um desafio que exigiu uma combinação de trabalho árduo e a graça de Deus. No entanto, o Senhor me abençoou grandemente nele. De fato, de maneiras importantes, a continuidade da minha vida de serviço ao Senhor foi construída sobre os dons e as habilidades que ele revelou em mim quando me dispus a satisfazer essa necessidade.

Mais tarde, quando lecionava em uma universidade, fui convidado a participar de estudos bíblicos evangelísticos para os alunos. Como isso combinava com um desejo que eu tinha

---

21 Essas listas também incluem alguns dons que pertencem apenas à era apostólica, como milagres e profecias.

de trabalhar pela salvação dos outros, eu me envolvi de bom grado. Em poucos anos, o Senhor me chamou para mudar minha carreira e servir a ele em tempo integral como pregador.

Minhas experiências estão longe de ser únicas; com frequência, Deus nos chama e nos dirige dessa maneira. Na maioria das vezes, os dons espirituais são revelados não através de um teste de diagnóstico, mas da experiência de servir ao Senhor. Quanto mais cedo começarmos a servir onde há necessidade, mais cedo começaremos a aprender para onde o Senhor está nos conduzindo em nosso serviço a ele.

A centralidade do ensino

Mais adiante em Efésios 4, Paulo diz que Deus tem um papel específico e importante para os mestres e líderes ordenados da igreja: "e ele mesmo concedeu uns para apóstolos, outros para profetas, outros para evangelistas e outros para pastores e mestres, com vistas ao aperfeiçoamento dos santos para o desempenho do seu serviço, para a edificação do corpo de Cristo" (Ef 4.11-12). O que todos esses ministros têm em comum? Seu trabalho concentra-se na comunicação da Palavra de Deus.

Hoje — porque os apóstolos e os profetas foram dados somente para a era apostólica anterior à escrita do Novo Testamento — os cristãos são especialmente guiados por pastores/mestres, geralmente chamados *pastores* ou *pregadores*. Enquanto esses homens ministram a Palavra de Deus para edificar os crentes, os próprios crentes se engajam no "desempenho de seu serviço, para a edificação do corpo de Cristo". Esse ministério pode envolver muitas áreas, incluindo evangelismo pessoal, ensino em vários contextos, serviço como diácono ou presbítero, lidar com assuntos administrativos ou práticos, supervisionar as finanças da igreja e muito mais.

Edificar o corpo de Cristo também inclui nosso ministério uns aos outros. Considere estas declarações, todas envolvendo maneiras pelas quais ensinamos e lembramos mutuamente o que é verdade:

> Irmãos, se alguém for surpreendido nalguma falta, vós, que sois espirituais, corrigi-o com espírito de brandura [...] Levai as cargas uns dos outros e, assim, cumprireis a lei de Cristo (Gl 6.1-2).

> Exortamo-vos, também, irmãos, a que admoesteis os insubmissos, consoleis os desanimados, ampareis os fracos e sejais longânimos para com todos (1Ts 5.14).

> Exortai-vos mutuamente cada dia, durante o tempo que se chama Hoje, a fim de que nenhum de vós seja endurecido pelo engano do pecado (Hb 3.13).

Assim como todos nós somos chamados a desempenhar nosso papel na edificação da igreja corporativamente, somos todos chamados a edificar uns aos outros na fé. É aqui que o tipo de amizade masculina que discutimos no capítulo 11 desempenha um papel tão importante na igreja. Os homens cristãos precisam de amigos que possam fortalecer suas mãos em Deus, e eles precisam ser amigos assim para os outros.

Através de sua Palavra, Cristo provê tudo aquilo de que seu povo precisa. A pregação fiel e o ensino da poderosa, santa e vivificante Palavra de Deus preparam os santos para a obra do ministério e edificam a igreja. Para descrever o resultado de tudo isso, Paulo conclui com palavras desafiadoras que falam do que estamos almejando juntos no ministério da igreja: "até que todos cheguemos à unidade da fé e do pleno conhecimento do Filho de Deus, à perfeita varonilidade, à medida da estatura da plenitude de Cristo" (Ef 4.13).

Conheça a Palavra

Assim, é a Palavra de Deus — ensinada, ouvida, compreendida e aplicada pela graça de Deus — que realiza todo progresso dentro de uma igreja. A partir disso, uma conclusão fica extremamente clara: qualquer homem cristão que queira servir ao Senhor, em qualquer papel e em qualquer nível, deve começar dedicando-se à Palavra de Deus. Um homem que é fraco na Palavra de Deus será de pouca utilidade para o serviço, pois não podemos verdadeiramente servir a Deus de maneira eficaz por nosso próprio conhecimento e força. Mas a Palavra de Deus desperta em nós a fé e a força espiritual necessárias para servir a ele.

A melhor forma de obter um conhecimento crescente das Escrituras é através de um estilo de vida de estudo e reflexão bíblicos diários. O Salmo 1 diz do "homem bem-aventurado" que "o seu prazer está na lei do Senhor, e na sua lei medita de dia e de noite. Ele é como árvore plantada junto a corrente de águas, que, no devido tempo, dá o seu fruto, e cuja folhagem não murcha; e tudo quanto ele faz será bem-sucedido" (vv. 1-3). Isso fala de prosperidade espiritual, de modo que, quando um homem dedicado à Palavra de Deus, torna-se forte para a obra do Senhor. O fato de o livro dos Salmos começar com essa declaração nos mostra que essa é a prioridade urgente para qualquer homem que deseja fortalecer-se no Senhor e ser útil à sua igreja.

Quando nos preparamos para ser fortes na Palavra, usando os dons que Cristo nos concedeu e ministrando uns aos outros em verdade e amor, edificamos juntos a igreja de Cristo. Portanto, os homens cristãos devem ser como os obreiros de Neemias, que edificaram Jerusalém naquele tempo. Pedro diz que este é o trabalho do sacerdócio real de todos os crentes, chamados ao serviço por Jesus, através de seu sangue, a fim de exibir sua glória no mundo e fazer a obra de seu evangelho: "também vós mesmos, como pedras que vivem, sois edificados casa espiritual para serdes sacerdócio santo, a fim de oferecerdes sacrifícios espirituais agradáveis a Deus por intermédio de Jesus Cristo" (1Pe 2.5). Tendo sido edificados juntos como uma casa por Cristo, agora nos unimos para edificar a casa de Cristo, a igreja, servindo da maneira como fomos capacitados e chamados.

Guardar: protetores da igreja

Minha esposa lhe dirá que seus cultos favoritos são aqueles em que novos presbíteros ou diáconos são ordenados e instaurados. Ela sempre exulta quando um grupo de homens vai à frente para ordenar novos líderes da igreja pela imposição das mãos, à maneira apostólica. Quase sempre, ela me diz em algum momento durante o dia: "Amo ver todos aqueles homens espirituais e piedosos que lideram nossa igreja. Isso me faz sentir mulher, e me faz sentir segura na igreja".

Quando minha esposa faz esses comentários, está experimentando o cumprimento da segunda parte do Mandato Masculino na igreja: a vocação para *guardar*. Não devemos apenas trabalhar pelo crescimento e a saúde da igreja; devemos também manter guarda pela segurança da igreja e de seu povo. Como os construtores de Neemias, alguns trabalhando e alguns guardando, e como Adão no jardim, chamado para empunhar tanto a colher do jardineiro como a espada do guerreiro, os homens cristãos são chamados para proteger a igreja mesmo enquanto trabalham para edificá-la. E o que devemos proteger? Quando Paulo escreveu a Timóteo acerca da liderança da igreja, ordenou que os presbíteros protegessem a *prática* e a *doutrina* da igreja (cf. 1Tm 1.3-7).

Proteger a prática da igreja

A prática da igreja envolve não apenas suas atividades formais, como cultos de adoração, mas também a espiritualidade da igreja. Os homens da igreja devem erguer-se para garantir que as pessoas sejam tratadas como merecem e para procurar aqueles que foram deixados de fora ou estão abatidos. Quando uma influência destrutiva, como fofoca ou divisão, ameaça a igreja, os homens piedosos devem intervir para acabar com ela. Além disso, as tendências pecaminosas que predominam na sociedade secular não devem moldar a vida da igreja, e os homens espirituais são chamados para garantir isso.

Dito de maneira simples, os homens piedosos são encarregados de salvaguardar a piedade da igreja. Essa responsabilidade começa com os presbíteros, mas se estende a todos os homens que estão ao lado deles para garantir que a igreja do Senhor obedeça à vontade do Senhor. Os homens piedosos devem garantir que a igreja seja um jardim seguro, um lugar onde as coisas de Deus são encorajadas a florescer e a verdade de Deus é mantida em fé.

Proteger a doutrina da igreja

Os homens piedosos devem, especialmente, guardar a doutrina da igreja. Mais uma vez, todos os homens, mas em particular os presbíteros, devem defender a verdade dessa maneira. Essa é mais uma afirmação da necessidade de o homem cristão estudar para se tornar firme na doutrina e para se conscientizar das atuais ameaças à verdade. Em nossa sociedade de hoje, isso inclui ataques liberais à Bíblia e deslealdades mundanas em relação ao que a Bíblia ensina.

Se os líderes da igreja falham em sustentar a sã doutrina, os homens piedosos da congregação devem reunir-se com eles para exortá-los a fazê-lo. Se os pastores e presbíteros não o fazem, os homens fiéis devem buscar meios legítimos de substituí-los por outros homens que sirvam fielmente ao Senhor. Em alguns casos, um homem pode precisar levar sua família para outra igreja. Não consigo imaginar como um homem cristão permitiria que sua família entrasse ou permanecesse em uma igreja que é fraca em doutrina, muito menos em uma com falsos ensinos. A doutrina deve ter prioridade acima de todos os assuntos de preferências pessoais ou estéticas. O estilo de música, o perfil das pessoas, o local de reunião, a arquitetura ou a personalidade do ministro, por exemplo, simplesmente não são tão importantes quanto se uma igreja está pregando e ensinando as Escrituras fiel e corretamente.

Jesus louvou a igreja em Éfeso por testar adequadamente seus mestres (Ap 2.2) e criticou a igreja em Pérgamo por falhar em expulsar seus falsos mestres (Ap 2.15). Judas 3 nos encoraja a "batalhardes, diligentemente, pela fé que uma vez por todas foi entregue aos santos". Se não guardarmos o sagrado depósito da verdade (2Tm 1.14), nossos filhos e esposas sofrerão sob o cativeiro espiritual do erro e da mentira.

A ordem que Deus deseja para a igreja local também inclui papéis ricos e valiosos para as mulheres. Nas igrejas saudáveis supervisionadas por homens vigilantes, as mulheres podem dedicar-se a espalhar a beleza espiritual para a qual foram criadas e a nutrir a comunidade e os relacionamentos amorosos a que foram destinadas a se dedicar. Uma igreja forte e masculina também será uma igreja forte para a demonstração e a fecundidade de uma feminilidade piedosa. Uma igreja que é justamente dirigida por homens piedosos que conhecem e aplicam as verdades saudáveis da Palavra de Deus é uma igreja segura, um lugar no qual as mulheres podem florescer na graça do Senhor.

Por trás do andaime

Em uma celebração do aniversário de 350 anos da Confissão de Fé de Westminster, realizada na Abadia de Westminster, em Londres, há vários anos, o grande pregador escocês Eric Alexander falou sobre Paulo e os primeiros cristãos. Apesar da perseguição e da dificuldade, esses crentes se dedicaram a edificar igrejas locais. O pastor Alexander salientou que o conhecimento deles sobre o que Deus estava fazendo na história da igreja os compelira ao trabalho e "injetara uma certeza em sua fé fraca, vacilante e pobre. Isso deu a muitos deles segurança em um mundo desesperadamente inseguro". O mesmo poderia ser dito acerca dos construtores/guardas dos dias de Neemias, trabalhando tão arduamente em uma cidade que outros haviam dado como perdida, pois eles sabiam que isso fazia parte do projeto infalível de Deus para a salvação do mundo. O pastor Alexander destacou: "Se nosso viver tivesse uma mentalidade mais voltada para o céu, o mesmo poderia acontecer conosco".[22]

O pastor Alexander passou a fazer uma série de perguntas para nos estimular à reflexão sobre nossas próprias vidas. Ele perguntou:

> Qual é a coisa realmente importante que está acontecendo no mundo em nossa geração? Onde os eventos realmente significativos estão em curso? Qual é a coisa mais importante? Onde você precisa procurar no mundo moderno para ver o evento mais significativo sob uma perspectiva divina? Onde está o foco da atividade de Deus na história?

Como você responderia a essas perguntas? O que você identificaria como a grande obra que está ocorrendo em nosso mundo, a coisa mais interessante que demanda nossa atenção hoje? O pastor Alexander deu sua resposta:

> A coisa mais importante que acontece na história é o chamado, a redenção e o aperfeiçoamento do povo de Deus. Deus está edificando a igreja de Jesus Cristo. O resto da história é simplesmente um cenário que Deus constrói para esse propósito. Ele está chamando um povo. Ele os está aperfeiçoando. Ele os está transformando. O grande clímax da história virá quando Deus baixar a cortina deste

---

22 Eric Alexander, "The Application of Redemption", em *To Glorify and Enjoy God: A Commemoration of the 350th Anniversary of the Westminster Assembly*, ed. John L. Carson e David W. Hall (Edimburgo, Escócia: Banner of Truth, 1994), 245.

mundo perdido e o Senhor Jesus Cristo chegar em sua infinita glória. O resto da história é simplesmente o andaime para a verdadeira obra.²³

Por fim, o pastor Alexander mencionou que, na última vez que estivera em Londres, a Abadia de Westminster estava coberta de andaimes enquanto os trabalhadores a limpavam e embelezavam. "Não era possível ver sua verdadeira beleza", observou ele, "mas era possível saber que algo de grande significado estava acontecendo por trás daquele andaime. Uma beleza majestosa estava prestes a ser revelada". A partir dessa imagem, ele a aplicou às nossas vidas e à igreja:

> Chegará o dia em que Deus desmontará o andaime da história mundial. Você sabe para onde ele estará apontando quando disser a toda a criação: "Eis aqui minha obra-prima?". Ele estará apontando para a igreja de Jesus Cristo. À frente disso tudo, estará o próprio Senhor Jesus, que virá e dirá: "Eis-me aqui e os filhos que me deste, aperfeiçoados na beleza da santidade".²⁴

Esse é o dia para o qual estamos trabalhando agora como homens na igreja. Em tempos passados, os israelitas sob Neemias ofereceram-se para reconstruir a grande cidade de Jerusalém, à qual, um dia, Jesus viria como o Salvador do mundo. Mais tarde, partindo da mesma cidade, Paulo e os outros cristãos primitivos enfrentaram a hostilidade do Império Romano com o poder da verdade e do amor enquanto

---

23 Ibid.
24 Ibid, 245-246.

edificavam as primeiras igrejas cristãs e guardavam o depósito da verdade salvadora de Deus. Agora é a nossa hora. E, como Neemias, Paulo e aqueles que trabalharam com eles, devemos fixar nossos olhos no dia para o qual todo o nosso trabalho é direcionado, o dia em que nós mesmos seremos ressuscitados em glória e Deus manifestará plenamente seu esplendor em seu povo. Se vivermos para esse dia agora, isso nos fortalecerá para o trabalho de edificar a igreja de Cristo juntos, em seu nome e por seu poder, lutando com todas as nossas forças para proteger o evangelho, que traz a única esperança de salvação a um mundo perdido em pecado.

Questões para reflexão e discussão

- Está claro o ensinamento da Bíblia sobre liderança exclusivamente masculina em posições de ensino e autoridade? A adesão a esse requisito faz diferença real na vida de uma igreja? De que maneiras esse requisito pode ser abusado? De que maneiras ignorá-lo pode ser prejudicial?
- Mesmo que você não tenha sido chamado para servir como presbítero ou diácono, como os requisitos bíblicos para esses ofícios se aplicam à sua vida como homem cristão? Como essas diretrizes podem servir para orientar seu crescimento espiritual?
- Você acredita que Deus lhe deu dons espirituais específicos que devem ser usados na igreja? Em caso positivo, quais são eles e como você os usa? Se você está incerto sobre seus dons, como acha que pode aprender quais são eles?

- De que maneiras os homens cristãos não ordenados desempenham papel relevante ao lado dos presbíteros e diáconos? Você acha que sua piedade importa para sua igreja? Como você pode mostrar liderança como homem cristão, quer você seja ordenado ou não?
- Você se considera sadio na fé? Em caso negativo, como pode proteger sua família e igreja contra o erro? Quais medidas você deve tomar para garantir o conhecimento da sã doutrina? Se você se considera sadio na fé, o que pode fazer para continuar crescendo em seu conhecimento e usá-lo para beneficiar a igreja?

Capítulo 13
Servos do Senhor

Há muitas coisas que aguardo ansiosamente como um homem cristão. Estou ansioso para ver minhas filhas se casarem com jovens piedosos (embora a forma como vou pagar pelas cerimônias ainda seja um mistério). Estou ansioso para completar vinte anos no mesmo púlpito, porque acredito que a produtividade no ministério requer um compromisso de longo prazo com as pessoas e o lugar. Estou ansioso para, se o Senhor assim desejar, ver um de meus filhos ser ordenado ao ministério do evangelho ou ser comissionado como missionário de tempo integral. No entanto, muito acima de todos esses eventos — nenhum deles é certo —, aguardo ansiosamente por um evento que se eleva acima de todos os outros. Estou ansioso para conhecer pessoalmente e ver com meus próprios olhos o Senhor da glória, o Filho de Deus, meu Salvador e Mestre, o Rei dos reis, Jesus Cristo.

Ao contrário das outras coisas pelas quais espero, esse evento glorioso é absolutamente certo. Jó maravilhou-se: "porque eu sei que o meu Redentor vive e por fim se levantará sobre a terra. Depois, revestido este meu corpo da minha pele, em minha carne verei a Deus. Vê-lo-ei por mim mesmo, os meus olhos o verão, e não outros" (Jó 19.25-27). Jó, então, exclamou: "de saudade me desfalece o coração dentro de mim".

Ao que eu digo: "amém!", porque essas palavras são verdadeiras para mim e para você também.

Muitas pessoas, percebo, vivem e trabalham com os olhos na aposentadoria. Tudo é medido por sua contribuição para a Previdência ou para outro fundo de pensão. Mas eu acredito que um homem cristão deve viver, trabalhar e se divertir de olho na glória vindoura de Jesus Cristo. Seu retorno em glória não é uma fábula, uma fantasia ou uma ficção científica. É uma história futura certa — *vai* acontecer, e relativamente em breve. Então, como devemos viver? Como devemos medir as coisas que acontecem em nossas vidas? A resposta é que devemos viver agora à luz do futuro que certamente virá.

Segundo a Bíblia, existem recompensas no céu por nosso serviço a Cristo aqui na terra. Essa é a razão pela qual Jesus nos diz: "mas ajuntai para vós outros tesouros no céu" (Mt 6.20). E também a razão pela qual a parábola das dez minas mostra a concessão de recompensas diferentes aos servos com diferentes lucros (Lc 19.17). Eu admito que tenho dificuldade de pensar em qualquer recompensa maior do que a simples entrada no glorioso reino de nosso Senhor. Eu o verei e me imagino ajoelhado a seus pés e adorando sua glória. Então, ouvirei as palavras de seus lábios, cuja expectativa define toda a minha existência atual: "Muito bem, servo bom e fiel; foste fiel no pouco, sobre o muito te colocarei; entra no gozo do teu senhor" (Mt 25.21). Esse é o evento futuro, a recompensa futura, que deve motivar todo cristão a viver de maneira ousada e poderosa no serviço a Jesus Cristo.

Com isso em mente, não importa se sou bem-sucedido pela medida das coisas deste mundo. Não importa se o mundo me abraça ou me despreza. Não importa se vivo em abundância ou se sou humilhado. O que importa é que eu seja tido como fiel e ouça essas palavras de Jesus Cristo, meu Salvador e Mestre, o Senhor que está vindo novamente para reinar pela eternidade. Ser cristão significa não apenas que sou salvo dos meus pecados, mas também que sou salvo para ser seu discípulo. É isto que os homens cristãos são: seguidores, discípulos e servos do Senhor Jesus Cristo. A certeza de seu retorno e de sua recompensa aos homens e às mulheres fiéis é o grande e colossal fato que deveria dominar nossa visão do futuro.

Discípulos pessoais de Cristo

Alguns anos atrás, quando eu ainda estava ensinando em uma faculdade, alguns líderes de uma conhecida seita que se declara cristã vieram me ver. Trata-se de um grupo que exige controlar todos os aspectos de sua vida. Eles fizeram a afirmação de que cada cristão deve ser um discípulo. Embora sua definição de um cristão esteja fundamentalmente errada, pelo bem da discussão, eu estava disposto a concordar com essa afirmação. Então, eles me perguntaram se eu estava sendo discipulado pessoalmente. Para a surpresa deles, respondi que sim. Quando perguntaram quem estava me discipulando, sem dúvida pretendendo expressar sua desaprovação, minha resposta não foi a que esperavam. "Estou sendo discipulado por Jesus de Nazaré", respondi. "Mas ele está morto e não está mais aqui", retrucaram. "É aí que vocês estão errados", disse eu, "pois ele vive hoje e ministra aos crentes nele por meio do Espírito Santo. Como um verdadeiro crente em Jesus, eu sou um discípulo pessoal dele agora, não menos do que Pedro, João e os outros eram seus discípulos quando ele andou sobre a terra."

Essa resposta expôs um problema comum entre seitas que se dizem cristãs, ou seja, a ausência de um papel para o Espírito Santo em seu pensar e viver (um papel que as seitas buscam ocupar na vida de seus seguidores). Pois é através do ministério do Espírito Santo que, hoje, todo cristão é verdadeiramente um discípulo pessoal de Jesus. Nosso discipulado não apenas *não é inferior* ao daqueles que andaram na terra com nosso Senhor, como também é *melhor*. Eis o que Jesus disse em seu encontro com os discípulos na noite de sua prisão: "Mas eu vos digo a verdade: convém-vos que eu vá, porque, se eu não for, o Consolador não virá para vós outros; se, porém, eu for, eu vo-lo enviarei" (Jo 16.7). Sem dúvida, todo cristão já imaginou como deve ter sido maravilhoso viver como discípulo de Jesus antes de sua ressurreição. Mas aqui o próprio Jesus disse que a adição do Consolador, o Espírito Santo, contribui para um discipulado ainda melhor.

Entender o que significa ser um discípulo pessoal e servo do Senhor Jesus é se alegrar e exultar nesse privilégio presente. É central para esse serviço reservar um tempo para se sentar a seus pés, aprender com sua Palavra e falar com ele em oração. Jesus disse: "Se vós permanecerdes na minha palavra, sois verdadeiramente meus discípulos" (Jo 8.31). Isso significa que nosso discipulado é mera conversa se não estivermos habitando na Palavra de Deus e comungando com o Senhor em oração regular. E por que não estaríamos? Pois Jesus promete grandes resultados se formos verdadeiros discípulos: "e conhecereis a verdade, e a verdade vos libertará" (Jo 8.32).

As marcas de um verdadeiro discípulo de Jesus, alguém liberto por permanecer em sua verdade, são demonstradas por João Batista. João falou de sua alegria em servir a alguém tão grande quanto Jesus quando disse: "Mas vem o que é mais poderoso do que eu, do qual não sou digno de desatar-lhe as correias das sandálias" (Lc 3.16). Desatar a correia de uma sandália era uma tarefa tão baixa e suja que, na antiga Judeia, nem mesmo os escravos precisavam fazê-la. Mas João disse que, quando se trata de servir a Jesus, essa tarefa tão simplória não estava *abaixo dele* — em referência a Jesus, ela estava *muito acima dele*, tão grande é a glória do Filho de Deus, nosso Senhor.

Jesus considerava João Batista a maior pessoa do Antigo Testamento (cf. Mt 11.11). Mas João se considerava um servo pessoal do Senhor Jesus, enxergando a menor coisa que poderia fazer por alguém tão grande quanto Jesus como o mais alto privilégio e emoção que poderia imaginar.

Vivendo como servo-discípulo

Se quisermos fazer a diferença em nossas vidas servindo a Jesus, devemos adotar a mesma atitude de João Batista. Para isso, eu gostaria de me encaminhar ao fim deste livro sobre masculinidade cristã com o ensinamento de João Batista sobre a glória de servir a Jesus como seu discípulo.

João 3.22-30 registra um tempo durante o qual o ministério de João estava diminuindo à luz da fama crescente de Cristo, tanto que os seguidores de João haviam começado a deixá-lo para seguir Jesus em seu lugar. Alguns dos seguidores ainda dedicados a João queixaram-se a ele sobre o modo como o ministério de Jesus estava eclipsando o de João. A resposta de João é uma declaração clássica de fidelidade piedosa e um modelo de como os homens cristãos podem render-se sem reserva ao Senhor:

> O homem não pode receber coisa alguma se do céu não lhe for dada. [...] O que tem a noiva é o noivo; o amigo do noivo que está presente e o ouve muito se regozija por causa da voz do noivo. Pois esta alegria já se cumpriu em mim. Convém que ele cresça e que eu diminua (Jo 3.27, 29-30).

Aqui temos o modelo de serviço de João a Cristo. Esse modelo inclui um *princípio-chave*, uma *atitude alegre* e uma *resolução humilde*. Juntos, esses elementos podem capacitar-nos como homens, a fim de que sejamos fiéis ao nosso chamado para cumprir o Mandato Masculino a serviço de Cristo.

Vocação como dom: um princípio-chave

Primeiro, em resposta a seus seguidores que se ressentiam da crescente proeminência de Jesus, João expôs este princípio-chave para servir ao Senhor: "O homem não pode receber coisa alguma se do céu não lhe for dada" (Jo 3.27). O argumento de João era que os homens devem contentar-se com o lugar e a provisão que o Deus soberano lhes confere, procurando apenas ser fiéis ao chamado particular de cada um.

Aqui está o antídoto para a inveja e a discórdia entre os cristãos, pois a declaração de João nos lembra que tudo o que temos é dádiva do céu. Se temos grandes dons e uma grande vocação, eles foram dados por Deus para seu serviço. Se temos dons modestos e uma vocação modesta, eles também foram dados por Deus para seu serviço. Saber disso deve afastar-nos dos desafios do ciúme, por um lado, e da vanglória, de outro. Paulo pergunta: "E que tens tu que não tenhas recebido? E, se o recebeste, por que te vanglorias, como se o não tiveras recebido?" (1Co 4.7). Então, se temos dons, eles vieram de Deus. Se somos bem-sucedidos, é por causa da graça de Deus. Se fomos diligentes, até mesmo isso é um dom celestial. Por essa razão, não devemos glorificar aqueles que vemos como cristãos bem-sucedidos, mas, em vez disso, dar toda a glória a Deus. Por outro lado, se Deus nos concedeu um sucesso menor, não devemos ter inveja daqueles que têm mais. Tudo o que temos vem de Deus e é para sua glória.

Essa compreensão nos ajuda a distinguir entre a ambição piedosa e a ambição ímpia. Sim, os cristãos devem ser ambiciosos, mas pelas coisas certas. Nós devemos ter disposição e zelo pelo reino de Deus. Devemos aspirar a cultivar e guardar como cristãos: prover aqueles que estão sob nossos cuidados, fazer o bem no mundo, proteger e sustentar os fracos e, especialmente, levar as pessoas à fé em Cristo e discipulá-las para a maturidade cristã.

Quaisquer que sejam os dons que você tenha, deve ser ambicioso sobre o que Deus pode fazer com eles e através deles. É claro que isso está muito longe da ambição egoísta que tantas vezes é muito mais natural para nós. Tendemos a estar mais preocupados com nossa reputação e bem-estar. É daí que vêm nossos conflitos e inveja: queremos ser glorificados e admirados — caso contrário, por que nos preocuparíamos com o fato de os outros terem mais destaque do que nós? Queremos desfrutar ou adquirir posição elevada, riquezas e luxos mundanos — caso contrário, por que, então, ficamos ansiosos quando essas coisas são ameaçadas? O princípio de João é fundamental tanto para nossa utilidade a Deus como para nosso bem-estar espiritual. Se pudermos substituir a ambição egoísta pela ambição centrada em Deus, estaremos livres da inveja e do conflito.

O talentoso pregador F. B. Meyer lutou contra a inveja. Deus o chamou para servir em Londres ao mesmo tempo que Charles Haddon Spurgeon, possivelmente o maior pregador que já viveu. Assim, apesar de sua habilidade e de seu trabalho duro, Meyer ficava do lado de fora de sua igreja e observava as carruagens passarem direto para o Tabernáculo Metropolitano, de Spurgeon. Mais tarde em sua vida, isso aconteceu novamente, quando G. Campbell Morgan eclipsou o sucesso de Meyer. Quando eles pregavam na mesma conferência, multidões escutavam Morgan, depois saíam quando Meyer estava pregando. Reconhecendo seu espírito amargo, Meyer se comprometeu a orar por Morgan, raciocinando que o Espírito Santo não permitiria que ele invejasse um homem por quem orava. E ele estava certo. Deus permitiu que Meyer se alegrasse com a pregação de Morgan. As pessoas o ouviam dizer: "Você já ouviu Campbell Morgan pregando? Você ouviu a mensagem desta manhã? Deus está sobre esse homem!".[25] E, em resposta às orações de Meyer, a igreja de Morgan ficou tão cheia que as pessoas vieram e encheram a sua igreja também.

É uma glória para João Batista que ele, aparentemente, não tivesse tais lutas no tocante a Jesus. Ele sabia que não era o Salvador: "Vós mesmos sois testemunhas de que vos disse: eu não sou o Cristo, mas fui enviado como seu precursor" (Jo 3.28). João entendeu seu lugar e papel; o tempo todo, ele estava preparando e depois direcionando as pessoas para que seguissem Jesus, o verdadeiro Cordeiro de Deus e Salvador. Assim, ele se alegrou quando elas fizeram isso. Não o incomodava nem um pouco o fato de sua estrela estar se apagando

---

25 R. Kent Hughes, *John* (Wheaton, IL.: Crossway, 1999), 95.

com a luz ascendente de Cristo. João sabia que Deus é soberano. Para cada um de nós, Deus distribui obras e os dons para realizá-las. O que importa é que cumpramos fielmente nosso chamado particular para a glória de Deus, buscando sua aprovação, e não o louvor dos homens.

Essa é uma das razões pelas quais entender o mandato da Bíblia para os homens é tão importante. João disse que apenas queria cumprir o que o Senhor havia ordenado a ele. O que o Senhor ordenou que você faça? Qual é o seu chamado? Para começar, você pode estar certo de que tem o chamado de Gênesis 2.15: "Tomou, pois, o SENHOR Deus ao homem e o colocou no jardim do Éden para o cultivar e o guardar". Desde as raízes da humanidade e as primeiras páginas da Escritura, a essência do nosso chamado é clara. Devemos cultivar e guardar em qualquer canto do reino no qual Deus nos tenha colocado. Entender e abraçar esse aspecto essencial de nosso chamado é a chave para viver produtivamente como um servo-discípulo de Cristo.

Alegria: uma atitude-chave

A segunda grande coisa que notamos em João Batista é um subproduto da primeira e é, em si, a chave para nossa fidelidade como cristãos. João disse a seus seguidores que, longe de estar frustrado com a diminuição de sua proeminência, ele mantinha uma disposição alegre em seu serviço ao Senhor. "O que tem a noiva é o noivo", explicou João. "O amigo do noivo que está presente e o ouve muito se regozija por causa da voz do noivo. Pois essa alegria já se cumpriu em mim" (Jo 3.29).

Essa ideia de "amigo do noivo" pode fazer com que a declaração de João pareça difícil de entender, mas não precisa ser assim. No antigo Israel, essa pessoa era como um padrinho — mas um padrinho com enormes autoridade e responsabilidade, pois ele também servia como organizador do casamento, mestre de cerimônias e cuidava da segurança do ninho de amor dos recém-casados:

> Ele agiu como a ligação entre a noiva e o noivo; ele organizou o casamento; ele distribuiu os convites; ele comandou a festa de casamento. Ele uniu a noiva e o noivo [...] Era seu dever vigiar a câmara nupcial e não deixar nenhum falso amante entrar [...] quando ouviu a voz do noivo, deixou-o entrar e se foi alegre, pois sua tarefa estava cumprida e os amantes estavam juntos.[26]

Por um tempo, esse amigo do noivo estaria no centro das atenções. Mas, durante todo o tempo, seu objetivo era servir à noiva e ao noivo, conduzi-los em segurança aos braços um do outro e, depois, com alegria e graça, retirar-se discretamente. Sua alegria não era por ser visto, mas pelo privilégio de prestar seu serviço, pela honra mostrada ao seu amigo e pelo prazer de unir a noiva e o noivo.

Assim como João primeiro preparou o caminho para o Salvador e depois proclamou abertamente a Jesus quando o Senhor começou seu ministério público, João viu a atenção pública se afastar de si mesmo em direção a Jesus. João sabia que essa era exatamente a coisa certa a fazer no momento certo, pois seu propósito era usar qualquer visibilidade que pudesse ter (como um dom de Deus) para apontar para

---

26 William Barclay, *The Gospel of John* (Philadelphia, PA: Westminster, 1975), 1:143-44.

Cristo. E, ao ver o sucesso da conclusão da tarefa mais importante de sua vida, ele foi capaz de dizer: "Pois esta alegria já se cumpriu em mim".

James Montgomery Boice pergunta:

> Você conhece essa alegria? Algumas pessoas pensam que há grande alegria nas posses materiais, mas as coisas em si não satisfazem. Outros acham que há alegria na fama mundana, em realizações ou prazeres, mas a recompensa desses objetivos é relativamente pequena. Eles satisfazem, no máximo, por um curto período. A verdadeira alegria vem em poder dizer a Jesus Cristo: "Eis-me aqui, Senhor, use-me", e então descobrir que, por sua graça, ele é capaz de usar você para trazer outros para um relacionamento salvífico consigo mesmo.[27]

Qual é a maior recompensa por servir a Jesus? É simplesmente a alegria de servir a Jesus. Essa alegria nos torna fiéis e úteis como servos de Cristo. Ela permite nos regozijar não apenas quando nossos esforços são abençoados com sucesso, não apenas quando outros nos louvam e aprovam, mas sempre que temos o privilégio de servir a Jesus, simplesmente por causa de nosso amor por ele e de nossa consciência de sua grandeza.

João Batista foi arrebatado pela alegria e pelo privilégio de fazer qualquer coisa — até desatar uma sandália suja — por um Senhor tão grande como Jesus Cristo. Então, sua alegria foi especialmente grande quando Deus o usou para dirigir outros a Jesus. Nossa alegria por conduzir as pessoas em

---

27 James Montgomery Boice, *The Gospel of John* (Grand Rapids, MI: Baker, 1999), 1:257.

direção a Cristo também deve ser grande. Nosso objetivo ao evangelizar os perdidos e encorajar os santos não é alcançar a glória para nós mesmos. Fazemos essas coisas pela mesma razão que movia o amigo do noivo no antigo Israel a conduzir sua noiva até ele. Fazemos isso por nosso amor a ambos e pela simples alegria de servir ao Senhor.

Humildade: uma resolução-chave

Finalmente, ao proferir o que Leon Morris descreveu como "algumas das maiores palavras que já saíram dos lábios do homem mortal",[28] João revelou o terceiro elemento de seu serviço a Cristo. Não somente João se recusou a competir com Jesus ou a ter inveja dele, como foi mais longe e declarou: "Convém que ele cresça e que eu diminua" (Jo 3.30). Ou seja, João não só aceitou a mudança na estatura pública entre ele e Jesus que já havia ocorrido; ele abraçou a aceleração e a continuação desse processo, compreendendo, com alegria, que seu ministério deveria dar lugar ao de Cristo. Da mesma forma, os cristãos que são úteis e fazem diferença neste mundo estão decididos a dar pouco destaque a si mesmos para que Cristo seja exaltado, crido e seguido.

Esse tipo de humildade não vem naturalmente, e não é fácil adotar a atitude que João demonstra aqui. Por natureza, queremos sempre que nossa relevância aumente. De fato, essa atitude de autoexaltação está no coração de todo pecado. A serpente selou a tentação para o pecado original com a seguinte promessa: "como Deus, sereis conhecedores do bem e do mal" (Gn 3.5). Na realidade, o pecado nos torna como a

---

28 Leon Morris, *The Gospel According to John (Revised)*, in: *New International Commentary on the New Testament* (Grand Rapids, MI: Eerdmans, 1995), 118.

serpente — ou seja, Satanás —, cujo desejo constante é crescer em rebelião contra Deus.

No entanto, João Batista dá o exemplo da mais alta piedade quando diz: "Convém que eu diminua". Ser humilde é ser semelhante a Cristo; de fato, é somente em Cristo que podemos verdadeiramente ser humildes. A. W. Pink diz com razão:

> A humildade não é fruto de um cultivo direto, mas, sim, um *subproduto*. Quanto mais tento ser humilde, menos alcanço a humildade. Mas, se estou realmente ocupado com aquele que era "manso e humilde de coração", se estou constantemente contemplando sua glória no espelho da Palavra de Deus, então serei transformado "de glória em glória, *na sua própria imagem*, como pelo Senhor, o Espírito" (2Co 3.18).[29]

A humildade não é um disfarce patético que vestimos porque precisamos. A humildade é uma graça gloriosa, a chave para a verdadeira grandeza. O apóstolo Pedro escreveu: "No trato de uns com os outros, cingi-vos todos de humildade, porque Deus resiste aos soberbos, contudo, aos humildes concede a sua graça" (1Pe 5.5). A. W. Tozer comenta:

> A verdadeira humildade é algo saudável. O homem humilde aceita a verdade sobre si mesmo. Ele acredita que, em sua natureza caída, não habita nada de bom. Ele reconhece que, longe de Deus, ele não é nada, não tem nada, não sabe nada e não pode fazer nada. Mas esse conhecimento não o desencoraja, pois ele também sabe que, em Cristo, ele é alguém.

---

29 Arthur W. Pink, *Exposition of the Gospel of John* (Grand Rapids, MI: Zondervan, 1975), 149.

> Ele sabe que é mais querido para Deus do que a menina de seus olhos e que pode fazer todas as coisas em Cristo, que o fortalece; ou seja, ele pode fazer tudo o que está dentro da vontade de Deus para ele. [...] Quando essa crença se torna tão parte do homem que atua como uma espécie de reflexo inconsciente [...] a ênfase de sua vida muda de si mesmo para Cristo, onde deveria estar desde o início, e, assim, ele é liberto para servir à sua geração pela vontade de Deus, sem os mil obstáculos que ele tinha antes.[30]

É por isso que os maiores servos de Deus sempre foram pessoas humildes. Moisés foi o grande libertador do Antigo Testamento, e a Bíblia o chama de "mui manso, mais do que todos os homens que havia sobre a terra" (Nm 12.3). Foi como humilde servo que Davi foi chamado de "homem que agrada a Deus" (cf. 1Sm 13.14). João Batista, a quem Jesus chamou o maior homem mortal que já havia nascido, declarou: "Convém que ele cresça e que eu diminua". E, acima de todos eles, está o Senhor Jesus Cristo, que disse: "Vinde a mim, todos os que estais cansados e sobrecarregados, e eu vos aliviarei. [...] Porque sou manso e humilde de coração; e achareis descanso para a vossa alma" (Mt 11.28-29).

Aqui está o servo do Senhor

Comecei este livro com a história de Brian Deegan — um motociclista radical que se converteu ao cristianismo —, sobre quem li pela primeira vez em uma revista de esportes, sentado em uma barbearia (não em um salão de cabeleireiro). Tendo,

---

30 A.W. Tozer, *God Tells the Man Who Cares*, ed. Anita Bailey (Camp Hill, PA: Christian Publications, 1970), 138-40.

portanto, estabelecido minhas credenciais masculinas desde a primeira página, sinto-me perfeitamente à vontade para me comparar, aqui no final deste livro, a uma jovem mulher que me inspira a ser um servo fiel de Cristo.

A jovem é Maria, a mãe de Jesus. Aqui está ela, uma adolescente vivendo em uma cultura religiosa bastante conservadora do ponto de vista moral. Prometida em casamento e, portanto, tida por todos como virgem, ela é visitada por um anjo, que lhe diz: "Descerá sobre ti o Espírito Santo, e o poder do Altíssimo te envolverá com a sua sombra; por isso, também o ente santo que há de nascer será chamado Filho de Deus. [...] Porque para Deus não haverá impossíveis" (Lc 1.35, 37). À primeira vista, tudo isso é incrível e perturbador. É perturbador porque significa que, obviamente, ela ficará grávida antes do casamento. É incrível por causa do mensageiro — um anjo — e por causa da essência de sua mensagem: aparentemente, essa gravidez suspeita resultará no nascimento do Salvador há muito prometido a Israel.

Eu vejo essa jovem, nossa irmã na fé, recebendo instruções que são simplesmente atordoantes. Ela poderia reclamar, chorar, objetar ou fugir. Em vez disso, ela curva sua cabeça e declara a Deus: "Aqui está a serva do Senhor; que se cumpra em mim conforme a tua palavra" (Lc 1.38).

Se uma adolescente crente, habitada pelo Espírito Santo, pode responder ao chamado de Deus para a fidelidade dessa maneira, também nós, homens cristãos, podemos! Deus nos chama a carregar sua imagem no mundo, tanto no tipo de homem que somos como no trabalho que fazemos em seu nome. Certamente podemos responder: "Aqui está o servo do Senhor".

Deus colocou o homem no jardim exatamente como, agora, de forma soberana, coloca-nos em relacionamentos pactuais e situações de vida específicas. O Senhor nos manda "cultivar e guardar", para que, em obediência alegre, possamos servir a ele, edificando, provendo e cultivando para o crescimento, e ao mesmo tempo protegendo e guardando para que tudo o que está sob nossos cuidados fique seguro. É um chamado simples, pois é de fácil entendimento; porém, nem sempre é fácil vivenciá-lo.

Deus nos chama a amar nossas esposas, a discipular e disciplinar nossos filhos; também nos chama para ser fiéis na amizade e zelosos na obra de seu reino. A grande vocação de nossas vidas é responder: "Aqui está teu servo, Senhor. Ajude-me pela sua graça a ser fiel ao seu chamado".

Que Deus levante uma multidão de homens assim em nosso tempo, e que possamos nos ajoelhar diante de nosso soberano Senhor em busca de sua graça, e declarar a ele: "Senhor, eu recebo meus dons e meu chamado de ti. Minha grande alegria é servir a um grande Senhor como tu. Eu me humilho para cultivar e guardar, para que Jesus seja exaltado em minha vida. Eis aqui o teu servo, Senhor". Se fizermos isso, respondendo ao chamado do Senhor em nossa vida com fé, podemos ter certeza de que nosso Deus Salvador nos dará a graça necessária para servir e liderar como os homens santos que ele nos chama para ser. Então, quando, finalmente, no céu, se fizer a chamada dos santos, podemos esperar ansiosamente ouvir o Senhor nos dizer as palavras que os homens cristãos devem estimar acima de todas: "Muito bem, servo bom e fiel; entra no gozo do teu senhor" (Mt 25.21).

Questões para reflexão e discussão

- Você costuma pensar no retorno de nosso Senhor Jesus Cristo? Em caso negativo, o que mais a respeito do futuro molda seus pensamentos no presente? Por que a segunda vinda de Cristo é o grande evento que define tudo agora?
- Você se considera um discípulo pessoal de Jesus? Em caso negativo, por que você não pensa assim? A discussão desse capítulo sobre ser discípulo de Cristo foi de alguma ajuda para você? Como o Espírito Santo ministra aos cristãos agora, em nome de Cristo?
- Qual princípio é mencionado neste capítulo como fundamental para a fidelidade cristã? Você já sofreu por sentir inveja de outros cristãos? Por que isso é errado e contraproducente? Qual é o remédio para a inveja e a chave para a ambição piedosa como um homem cristão?
- O autor afirma que a principal recompensa de servir a Cristo é a pura alegria de servir a Cristo. Você concorda com isso? Você já experimentou essa alegria? O que acontece quando nosso serviço a Jesus é motivado por nossa busca por outras recompensas? Por que servir a Jesus Cristo é uma alegria tão grande para nós, mesmo nas dificuldades?
- Como nos tornamos humildes? Como a humildade faz diferença em nosso serviço ao Senhor? O autor menciona Moisés, Davi e João Batista como exemplos de humildade. Você consegue pensar em aspectos de suas vidas que mostram humildade? De que maneira Jesus é "manso e humilde", como ele diz que é? Uma descrição assim é algo masculino a se buscar?

- Jesus promete saudar todos os seus servos fiéis com as palavras "muito bem". O que essa perspectiva significa para você? Ore sobre como você pode viver agora para ouvir essas palavras quando Jesus voltar.

FIEL
MINISTÉRIO

O Ministério Fiel visa apoiar a igreja de Deus de fala portuguesa, fornecendo conteúdo bíblico, como literatura, conferências, cursos teológicos e recursos digitais.

Por meio do ministério Apoie um Pastor (MAP), a Fiel auxilia na capacitação de pastores e líderes com recursos, treinamento e acompanhamento que possibilitam o aprofundamento teológico e o desenvolvimento ministerial prático.

Acesse e encontre em nosso site nossas ações ministeriais, centenas de recursos gratuitos como vídeos de pregações e conferências, e-books, audiolivros e artigos.

Visite nosso site

www.ministeriofiel.com.br

LIGONIER MINISTRIES

Fundada pelo Dr. R. C. Sproul em 1971, o Ministério Ligonier existe para proclamar, ensinar e defender a santidade de Deus em toda a sua plenitude para o maior número possível de pessoas. Em parceria com o Ministério Fiel, o Ministério Ligonier tem disponibilizado em português diversos artigos, vídeos e cursos.

Para acessar nossos recursos, visite:

www.fiel.in/Ligonier

Conheça nossos livros para homens cristãos

HOMENS FORTES — John Crotts — Um Guia Básico para a Liderança Familiar

MASCULINIDADE XY EM CRISE — Renato Vargens — E seus efeitos na igreja

Reset — David Murray — Vivendo no ritmo da graça em uma cultura estressada

E-book gratuito

Este livro, escrito por John Crotts, foi concebido para simplificar a busca pela sabedoria bíblica e para vermos em Jesus a incorporação e fonte de toda sabedoria. Todo homem cristão é chamado a modelar a sua vida segundo o coração de Deus e a aplicar sabedoria em seu papel de marido e pai.

Para baixar o e-book gratuitamente, acesse:

www.ministeriofiel.com.br/ebooks/

Impresso na gráfica Viena em Abril de 2024 em papel Pólen Natural 70 para Editora Fiel.
Todo papel desta obra possui certificação FSC® do fabricante.
Produzido conforme melhores práticas de gestão ambiental (ISO 14001)
www.graficaviena.com.br